백제 지수신

백제 지수신

백제부흥운동의 대서사

하

류정식 역사소설

물병자리 H

• 들어가며 •

"역사는 언제나 승자의 기록이었다."

지금 이 순간 나의 머릿속을 맴도는 말이다.

나는 '해동증자'라고 칭송받는 동아시아의 위대한 군주였던 백제 의자왕이 왜 한순간에 황음을 일삼은 방탕한 군주의 상을 갖게 되었는지, 백제를 마지막으로 지킨 무장은 계백밖에 없었는지, 낙화암의 삼천 궁녀는 사실이었는지 이런 의문을 어린 시절부터 마음속에 품고 있었다.

나이가 들어서도 이러한 의문을 버릴 수 없어서 어느 날 작심하고 『삼국사기』와 『조선상고사』 등의 문헌을 살폈다. 그런데 생각 밖의 인물이 나를 사로잡았다. 계백처럼 우리의 기억 속에 자리 잡고 있지 않지만 백제부흥군의 주역인 임존성의 성주 지수신이다.

하지만 지수신이란 무장은 『삼국사기』와 『조선상고사』, 그리고 남효은의 『추강집』 중 '부여회고'와 안정복의 『동사강목』에서 단편적인 내용만 확인 할 수 있어서 그의 성격과 행적을 조명하기 어려웠다. 결국 생각 끝에 백제멸망과 백제부흥운동의 과정을 되짚으며 그의 행적을 소설을 통해 조명하고자 했다.

백제부흥운동은 의자왕이 당에 항복한 660년부터 임존성이 함락된 663년까지 백제 땅 곳곳에서 벌어진 지수신 등 백제의 무장과 백제 유민이 함께한 저항 운동이었다.

백제부흥운동은 일제강점기의 독립운동과 같은 의미를 지닌다. 말하자면 삼국시대 나당군에 나라를 잃은 백제유민의 독립운동이었다. 1,300여 년이라는 오랜 세월이 지나 우리 머릿속에 남아 있을 리 없고, 역사 기록도 많지 않아 이에 대한 관심이 높지 않은 것이 사실이다. 그러함에도 백제부흥운동의 중요성은 아무리 강조해도 지나치지 않다. 바로 우리 민족은 국가와 민족의 존망 앞에서는 끝까지 물러서지 않는다는 점을 일깨우기 때문이다.

김부식의 『삼국사기』는 신라사관을 바탕으로 서술하였기에 백제에 대한 부정적인 요소가 많아 안타까움을 금할 수가 없었다.

백제멸망은 삼국통일이라는 김춘추의 원대한 꿈에서 시작된 것이 아니라 의자왕에게 당한 신라왕족(김춘추의 사위인 김품석)의 복수가 시발점이었다. 그리고 당나라 또한 동아시아 패권을 다툰 고구려를 멸망시키기 위한 전략으로 참전했다.

백제부흥운동이 발생한 이유를 정리해 보았다.

첫째, 백제멸망 후 나당군에 의한 무자비한 사비성의 약탈이다. 사비궁, 능사, 왕흥사. 정림사 등 약탈로 인해 어느 한 곳도 성한 곳이 없었다. 둘째, 당군이 백제유민을 모두 죽이고 백제를 신라에 넘겨준다는 소문이 돌았으며, 연로한 의자왕이 나당군의 승전축하연회에 불려가 소정방과 김춘추에게 술을 따랐다는 치욕적인 사실이 백제무장들을 분노케 했다. 셋째, 백제 왕족과 1만2천이나 되는 젊은 장정과 부녀자들이 당에 노예로 끌려갔다. 처자식을 빼앗긴 백제유민의 슬픔이 하늘에 닿았기 때문이다.

백제멸망 시 절체절명의 상황은 일제강점기와 다를 바 없으니 백제무장들과 유민들이 들고 일어날 수밖에 없었다.

백제부흥군의 대표적인 무장으로 복신과 두량윤성의 정무. 승려 도침. 풍달군장 흑치상지 등이 있다. 이 소설에 나오지 않지만 구마노리성의 여자진 등도 거병의 깃발을 들었다. 그리고 임존성주 지수신은 일제강점기의 김구 선생이나 안중근 의사처럼 백제부흥운동의 정점을 찍었다.

"역사는 돌이킬 수 없고 가정할 수 없는 것이다."

백제의 마지막 영웅 지수신을 주인공으로 소설을 쓰겠다는 마음을 먹었을 때 떠오른 말이다.

역사는 가정할 수 없는 것인데 소설은 그야말로 가정의 산물이다. 특히 역사소설은 역사적 사실을 기반으로 작가의 상상력이 더해져 완성되는 장르인데, 지수신에게는 '역사적 사실'이 충분하지 않았다.

고민을 거듭한 끝에, 의자왕의 딸 '율'을 등장시키기로 했다.

소설에서 가공인물인 율을 등장시킨 이유는 분명했다.

김부식의 『삼국사기』에 임존성이 함락한 직후 지수신이 처자를 버리고 고구려로 도망가는(遲受信委妻子奔高句麗)부분이 나온다. 나는 임존성을 끝까지 지킨 무장이 처자를 버리고 도망간다는 것은 상식 밖이라 생각했다. 『삼국사기』가 백제가 멸망한 지 5세기가 지난 뒤(1145년)에 나왔고, 지수신이 신라에게는 눈엣가시 같은 인물이었기 때문에 패자에 대한 기록이 그렇게 남았을 거라 생각했다.

그리고 율을 조선시대의 정적인 여성상이 아닌 기개 넘치고 자유분방한 백제의 여인상으로 설정해, 이 소설의 또 한 명의 주인공으로서 지수신과 함께 백제부흥운동을 이끌어가길 바랐다. 여기에 부흥운동을 하다가 배신의 길로 들어선 흑치상지를 율과 연관시켜 소설의 스토리를 구성했다.

그리고 『삼국사기』 '백제본기'에 백제의 태자가 '효(孝)'로 기록되어 있는 반면, 백제와 전쟁에서 승리한 소정방이 정림사5층석탑에 새긴 '大唐平百濟國碑銘, 劉仁願紀功碑, 扶餘隆墓誌'에는 태자가 '륭(隆)'으로 기록되어 있다. 나는 실제 기록 연대에 가까운 '륭'을 태자로 삼았다.

백제멸망과 백제부흥운동을 개연성이 있는 소설로 구성하려다보니 고증 없이 역사적 사실을 제대로 반영하지 못 하지 않을까 하고 염려했다. 하지만 큰 틀에서 벗어나면 안 된다는 일념 하에 고심을 거듭하며 10년 동안 구상과 퇴고를 반복했다.

아쉬움이 남는 다면 백제부흥운동에 참여한 백제의 무장과 유민들의 면면을 잘 표현하지 못해, 그분들에게 누가 될까하는 점이니 독자 여러분이 적절한 판단을 바란다.

2020년 정월에 충정로 서실에서

• 차례 •

하

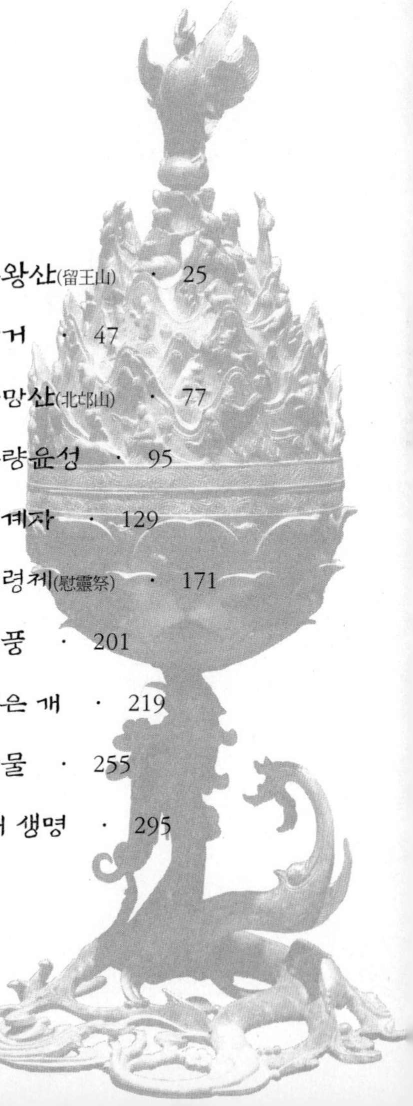

• 등장인물 •

– 백 제 –

의자(義慈, 595 추정~660, 재위 641~660) – 백제의 마지막 왕. 아버지 무왕의 뒤를 이어 보위에 올랐다. '해동증자'로 불릴 만큼 동아시아의 유력한 군주였다. 660년 나당연합군에 패해 나라를 잃었다. 소정방에 의해 당나라로 끌려가 11월 1일 낙양에서 당 고종에게 항복의례를 행했다. 해를 넘기지 못하고 병사하였다.

은고(恩古) – 의자왕의 비. 태자 륭(隆)을 비롯, 태(泰) 효(孝) 연(演) 풍(豊) 등 다섯 왕자를 낳았다.

륭(615~682) – 백제의 태자. 660년 백제가 멸망하자 부왕과 함께 당으로 끌려갔다. 이후 그는 백제부흥군을 이끌던 동생 풍과 대결. 663년 왜의 지원을 받은 부흥군이 패퇴한 후 항복한 흑치상지와 함께 다시 당으로 들어갔다가 665년 당의 웅진도독백제국왕으로 다시 입국해 문무왕과 회맹을 가졌다.

풍 – 의자왕의 막내아들, 일본에서 돌아와 의자왕을 계승했다고 자처하고, 백제부흥군을 이끈다.

태 – 의자왕의 아들. 사비성에서 탈출한 왕가 일행이 부소산성에 머물다 의자왕이 웅진성으로 몽진하자 자간과 무수의 간언에 혹해 부소산성에서 왕위에 오른다.

율(栗) - 의자왕과 은고 사이에서 태어난 백제의 공주(가상인물). 좌평 흥수의 제자로 무예에 뛰어나며, 백제부흥운동의 영웅 지수신을 흠모한다.

문사 - 태자 륭의 아들로 세손이다. 좌평 흥수의 딸 선을 흠모한다.

지수신(遲受信) - 의자의 친위군장. 660년 나당 연합군의 침입으로 사비성이 함락되자 임존성에서 거병하여 마지막까지 항거한다. 역사에서는 나당군에 항복한 흑치상지, 사타상여의 공격으로 임존성이 함락되자 처자를 두고 고구려로 망명했다고 전해진다.

흥수(興首) - 과거 백제군의 수장. 좌평. 율과 지수신의 스승. 계백, 성충과 함께 백제 3충신으로 불린다. 역사에서는 의자왕의 실정을 비판하였다가 고마미지현으로 유배되었다고 알려져 있다.

선 - 흥수의 딸(가상인물). 지수신을 흠모한다.

성충 - 백제의 좌평. 임자의 이간질로 감옥에서 옥사했다.

계백(階伯, 612~660) - 백제의 장수. 황산벌 전투로 유명한 백제의 무장이다.

의직(義直) - 백제의 대장군.

혜오화상(慧惡和尙) - 미륵사 방장. 창술에 능하다.

도침 - 혜오화상을 모시는 미륵사 승려. 백제부흥군 장수. 내분으로 복신에 의해 제거된다.

복신 - 임존성주. 풍왕과의 알력으로 제거당한다.

사택천복 - 백제의 대좌평.

흑치상지(630~689) - 백제의 무장인 풍달군장으로 백제 부흥 전쟁의 주역이었으나 당에 투항해 임존성 함락에 앞장섰다.

사타상여(沙吒相如) - 별부성 별부장. 의자왕의 반대편에 섰던 대좌평 사택지적(砂宅智積)의 아들로 설정. 백제부흥군이었으나 흑치상지와 당나라에 붙었다.

임자(任子) - 백제의 상좌평. 김유신의 끄나풀로 지수신 제거 작전이 실패로 돌아가면서 간자임이 밝혀진다.

조미압(粗米押) - 임자의 수하. 신라인.

덕집득 - 고마미지현령 출신 부흥군으로 풍왕자의 신임을 얻는다.

일충(검일) - 신라에서 귀화한 백제의 무장으로 석성산성주. 신라 이름은 검일이다.

예식진 - 웅진방령. 웅진성을 열어 당나라에 항복하며 의자왕을 배반한다.

- 신 라 -

김춘추(金春秋, 602~661) - 신라 태종무열왕.

김법민(金法敏, 626~681) - 신라의 태자. 신라 문무왕. 김인문의 형.

김인문(金仁問) - 신라의 왕자. 당군을 데리고 온다.

김유신(金庾信, 595~673) - 신라의 대장군.

김문영(金文穎) - 신라의 선봉장.

김흠순 - 신라의 좌장군.

김품일 - 신라의 우장군.

천관녀 - 신라의 대장군 김유신의 정인(情人).

- 당 -

소정방(蘇定方, 592~677) - 당의 무장으로 나당 연합군의 대총관이다. 서돌궐, 사결, 백제를 멸망시키고 고구려 평양성까지 공격하였다. 군선 1900척에 13만 대군을 이끌고 백제로 온다.

유인궤(劉仁軌) - 당의 무장으로 병참부대장.

유인원(劉仁願) - 당의 무장으로 우군낭장.

이의부(李義府) - 당의 무장으로 군사참모.

유백영(劉伯英) - 당의 무장으로 좌군낭장.

두상(杜爽) - 당의 무장인 낭장으로 소정방 휘하에서 백제를 공격했다.

풍사귀 - 당의 무장인 낭장으로 소정방 휘하에서 백제를 공격했다.

• 주요 배경 •

- 충남 인근 -

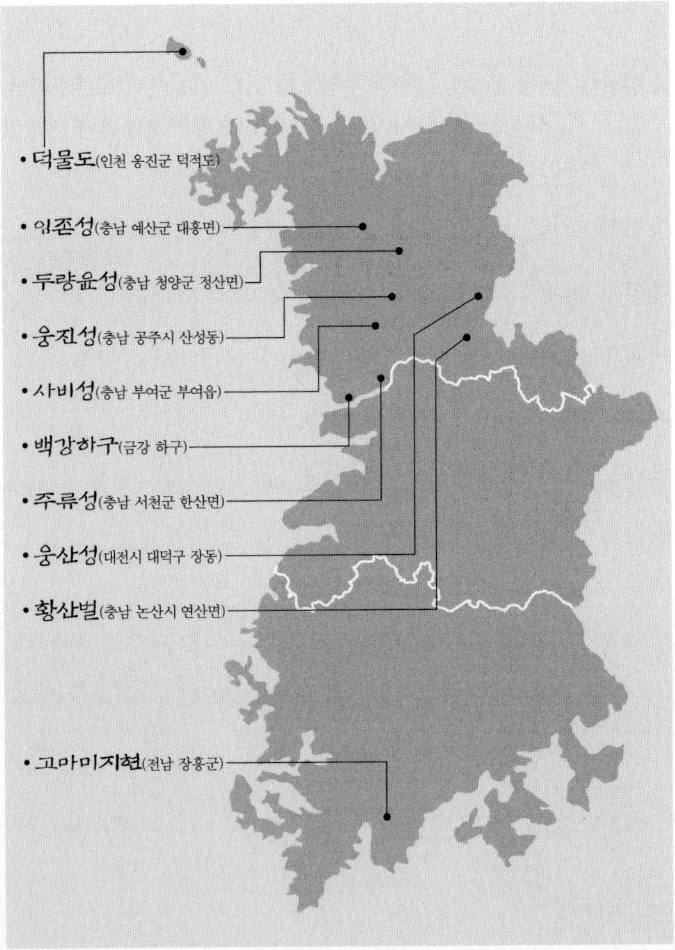

• 덕물도(인천 옹진군 덕적도)
• 임존성(충남 예산군 대흥면)
• 두량윤성(충남 청양군 정산면)
• 웅진성(충남 공주시 산성동)
• 사비성(충남 부여군 부여읍)
• 백강하구(금강 하구)
• 주류성(충남 서천군 한산면)
• 웅산성(대전시 대덕구 장동)
• 황산벌(충남 논산시 연산면)
• 고마미지현(전남 장흥군)

- 부여 인근 -

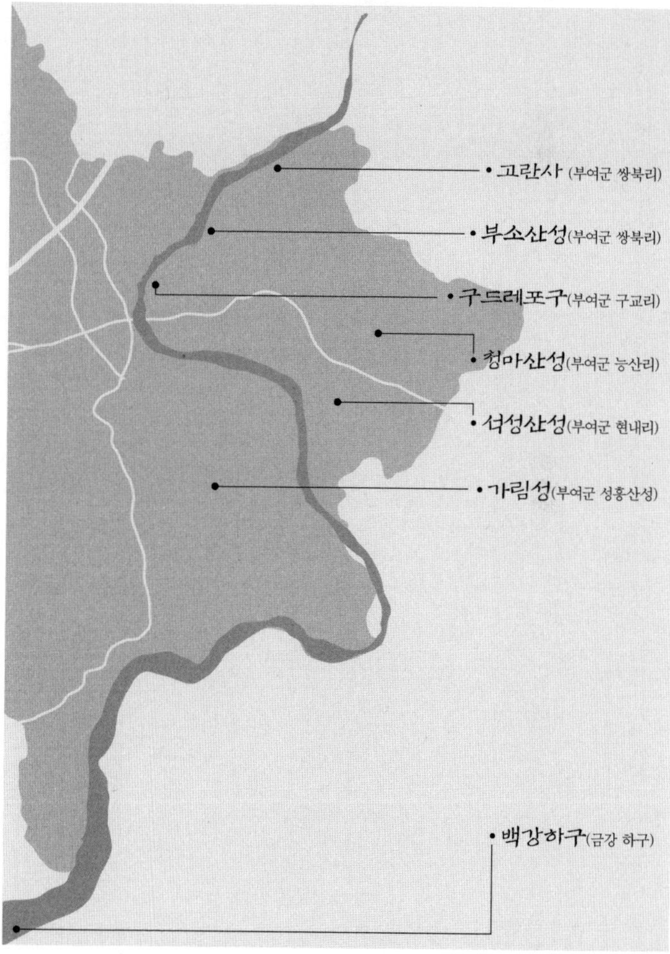
• 고란사 (부여군 쌍북리)
• 부소산성(부여군 쌍북리)
• 구드레포구(부여군 구교리)
• 청마산성(부여군 능산리)
• 석성산성(부여군 현내리)
• 가림성(부여군 성흥산성)
• 백강하구(금강 하구)

백제부흥운동의 대서사

백제 지수신

하

11장 / 유왕산(留王山)

서역(西域)을 정벌한 소정방이 망국의 작은 산성 하나에 절절매고 사비성으로 돌아왔다. 망국 백성들이 비웃는 것 같아 얼굴을 들 수 없었지만 어찌 되었건 철군 날짜가 성큼 다가왔다. 소정방이 아쉬운 마음을 접고 마지막 나당군의 전략회의를 열었다. 먼저 김춘추에게 하례를 했다.

"우리 대당의 병사에게 군량과 병참을 대준 대왕의 충성심 황제 폐하께 상주하겠소."

소정방은 감회가 새로운지 연신 얼굴에 흐르는 땀을 닦아냈다. 숙연한 분위기 속에서 김춘추도 머리를 숙였다.

"신라의 숙원을 해결해주신 합하의 은혜 뼛골에 새기겠습니다. 거듭 감사드리옵니다."

소정방과 사사건건 부딪쳤던 김유신도 목소리를 낮추었다.

"소장이 그동안 저질렀던 무례를 용서하십시오."

"작전상 마찰은 무례가 아니오, 대장군."

김유신을 위로한 소정방이 다시 말을 이었다.

"군사참모는 도독부의 설치안과 낙양으로 압송할 포로 수를 소상히 설명해보시오."

이의부가 김춘추의 속내를 떠보듯이 큰소리로 전후처리의 내역을 설명했다.

"합하. 백제에 다섯 개 도독부[熊津, 德安, 金漣, 馬韓, 東明]를 두기로 했습니다. 그리고 우군낭장 유인원을 도호(都護)로, 신라

왕자 김인태를 부도호로 삼아 당군 1만과 신라군 7천을 사비성에 주둔키로 했습니다. 낙양으로 압송할 포로는 의자왕과 왕족 93명, 백성 1만2천이옵니다."

"군사참모, 포로 수가 너무 많은 것 같소. 왕족이 93명이라, 내 생각엔 좀 줄이는 게 좋겠소."

김춘추가 발끈했다.

"왕족은 당군이 철군하고 나면 다시 준동할 수 있으니 모조리 잡아 피를 말려야 합니다. 포로로 생포한 백성들은 당군의 재물과 같사옵니다."

소정방은 더 이상 김춘추의 신경을 자극하고 싶지 않았다.

"대왕의 뜻이 그렇게 확고하다면 그리하겠소. 그리고 군사참모, 정림사 5층 석탑에 새길 비문은 어찌 되었소."

"이것이 바로 비문입니다, 합하."

이의부가 비문을 탁자 위에 올려놓았다. 소정방은 한 자 한 자 조심스럽게 읽어 내려가다가 민망한 듯이 얼굴을 붉혔다.

"대왕도 한번 보시오. 글씨는 명필이 분명하나 내용이 좀 낯간지럽지 않소. 망국 백성들이 나를 무어라 생각하겠소."

"합하, 그럼 이 김춘추도…."

한 번 군대를 일으켜 백제를 평정한 형국공(소정방)은 군령을 위반하는 자는 추상과 같은 위엄으로 숙청하고, 귀순하는 자는 어버이 같은 따듯한 마음으로 은택을 베풀어주었다. 또한 의자왕과 태자 륭, 왕자 효, 대좌평 사택천복을 비롯한 중신 7백을 궁궐에서 사로잡았고.

김춘추가 읽어보니 소정방의 말대로 낯간지러운 문장이 넘쳐났다.

"백제를 정벌한 합하의 공을 누가 감히 넘보겠습니까? 정말 대단한 문장입니다."

"대왕의 생각이 그렇다면 무슨 말을 하겠소. 그리고 막상 철군하려니 아쉬움이 남아 발걸음이 떨어지지 않을 것 같소."

"아쉬움이 남다니요…. 그게 무엇입니까?"

"의자왕의 딸을 생포하지 못했으니 내 체면이 말이 아니오."

"그건 걱정하지 마십시오. 신라군을 동원해서라도 필히 잡아드리겠습니다."

"말씀은 반갑지만 그리 쉽게 될지 모르겠소."

작전회의를 마친 소정방이 율에 대한 아쉬움을 뒤로 하고, 백화정을 향해 걸었다. 마지막 백강의 비단 물결을 보기 위해서였다.

김춘추도 신라군의 지휘부로 돌아왔다. 하지만 김춘추의 얼굴이 전략회의를 할 때와는 달리 냉기가 서렸다.

"대장군은 짐이 잠저에 있을 때부터 지기였고 나의 매부며 사위요. 짐을 왕위에 오르게 한 일등공신이지만 대장군의 심신이 지친것 같소. 이제 짐이 더 이상 대장군을 곁에 두기가 민망할 지경이요. 짐은 대장군의 심신이 회복될 때까지 당분간 쉬시게 할 작정이요."

김춘추의 속내를 읽은 김유신은 부복했다.

"이제 삼한통일의 빛이 보이고 있으니 소신은 능력 있는 젊은 장수에게 자리를 양보하고 산천을 벗 삼아 유람하고자 하옵니다."

"짐이 윤허하겠소. 산천을 벗 삼아 쉬시길 바라오."

"망극하옵니다. 폐하."

반강제로 김유신의 옷을 벗긴 김춘추는 마지막 주사위를 던졌다.

"태자는 대장군이 편히 쉬실 수 있도록 좋은 저택을 마련해 드려라. 다만 서라벌을 벗어나면 안 된다."

"명심하겠사옵니다. 아바마마."

신하의 위상이 군왕보다 크다는 것은 죽음을 자초하는 길이었다. 결국 한 시대를 풍미했던 걸출한 용장도 공명을 뒤로 한 채 역사 속으로 사라질 수밖에 없었다.

구르레포구가 새벽부터 시끌벅적했다. 당나라로 철군하는 군선이 대열을 이루고, 노략질한 재물을 짊어진 병사들이 소정방의 승선 명령을 기다렸다. 포로로 끌려가는 망국군주 의자와 은고, 태자 륭을 비롯한 중신들이 숨을 죽이면서 자갈길을 걸었다. 망국군주의 여윈 눈가에 눈물이 강을 이루고 잿빛 죄수복이 잔바람에 펄럭이니 백성들의 속은 검게 타들어갔다.

"폐하, 옥체를 강건히 하옵소서."

"짐보다도 그대들에게 닥칠 고난이 더 클 것 같아 걱정이구나. 부덕한 짐을 용서하라."

의자가 호송선에 승선하려 했지만 심신이 바닥을 쳤는지 넘어질 듯 몸을 가누지 못하니 사택천복이 부축했다.

"폐하, 발을 헛딛지 마옵소서. 옥체가 상할까 두렵사옵니다."

"짐의 몸보다 복신이 더 염려스럽소."

"복신은 걱정하지 마옵소서. 이번 임존성의 승전은 모두 복신의 전략에서 기인한 것이옵니다."

"대좌평도 알다시피 김유신이 가만히 있겠소?"

"김유신은 이제 이빨 빠진 늙은 호랑이입니다. 김춘추가 임존성의 패전을 빌미로 내쫓았다 하옵니다."

"눈엣가시 같던 그놈이 쫓겨났다니 속이 다 후련하오."

"이제 성심을 바로하고 승선하옵소서."

사택천복의 부축으로 의자가 호송선에 승선했다. 하지만 백성들은 아니었다. 호송병을 밀치고 달려들었다. 채찍에 얻어맞아 피멍이 들어도, 포로로 끌려가는 아들과 딸에 향한 부정과 모정은 끝이 없었다. 가까스로 포로들이 승선을 마치자 소정방이 김춘추의 주위를 살피면서 물었다.

"대장군이 보이지 않소. 혹시 나에게 섭섭해서 그런지 모르겠소."

"대장군은 서라벌로 떠났습니다. 당분간 산천과 벗하면서 심신을 돌보겠다고 간청하기에 허락했습니다."

"대장군도 칠순이 내일 모래인데 쉴 때도 되었지요, 허허허."

소정방이 허탈하게 웃으면서 대장선에 승선하자 의자를 태운 호송선이 물살을 가르기 시작했다. 하지만 소정방은 선상 밖에서 들려오는 호곡 소리에 심사가 뒤틀렸다.

갈매기가 사람처럼 우는 것이 아닐 것이라는 생각에 강기슭을 바라보니, 만장을 든 백성들이 강물의 유속이 느리면 걸음을 천천히 유속이 빠르면 걸음을 빨리하면서 따라오고 있었다.

한마디로 대장선과 호송선을 망자의 꽃상여인 양, 호곡 소리가 소정방과 병사들의 귓전을 심하게 때렸다. 마치 죽은 송장처럼 관속에 누워있는 것 같았다.

"이게 무슨 소리냐? 망국 백성들이 만가를 부르면서 따라오고 있다. 군사참모, 저놈들을 따라오지 못하게 엄히 조치하시오."

"백성들이 망국군주의 외로운 길을 서러워하고 있습니다. 비록 패악무도한 군주지만 백성들이 저리 슬퍼하니 마지막 해후를 할 수 있도록 은혜를 베풀어 주시기 바랍니다."

소정방이 짜증스런 말투로 말했다.

"강물 위에서 어떻게 은혜를 베푼단 말이오."

이의부가 강기슭의 나지막한 산을 가리켰다.

"저 산에서 망국군주와 백성들이 해후할 수 있도록 허락해주십시오. 그러면 하늘도 감동할 것입니다."

"하늘도 감동한다? 참모의 생각도 일리가 있는 것 같소. 참모의 의견대로 그리합시다. 그리고 저 산 이름을 망국군주와 백성들이 해후했다는 뜻으로 유왕산(留王山)이라 명명하시오."

"정말 합당한 이름입니다. 합하."

"쓸데없는 소리 그만하고 불순한 무리들이 다른 생각을 못하도록 경비나 철저히 하시오. 잘못하면 죽 쑤어 개주는 격이 될 것이니…."

호송선을 날갯짓을 하면서 따라오던 갈매기가 쉼터를 찾듯 유왕산으로 날아가니, 호송선이 유왕산에 닻을 내렸다. 의자가 호송선에서 내리자 백성들이 무리를 지어 몰려왔다.

"폐하, 소인들의 절을 받으시옵소서. 소인들이 잘못 보필해 오랑캐의 침략을 받았사옵니다."

"나라를 망친 군주가 백성들의 사랑을 받는 것만으로도 행복하다. 그대들은 난세를 잘 다스리지 못한 망국군주를 용서하고 새로운 나라를 여는 초석이 되어라."

의자의 위로에 촌로가 넙죽 엎드렸다.

"만 리 뱃길에 용체가 상할까 두렵사옵니다. 소인이 준비한 보잘것없는 음식이지만 때를 맞추시어 요기하옵소서. 삶은 감자이옵니다."

의자는 촌로가 준 보따리에서 삶은 감자 하나를 꺼내 입에 넣었다.

"이 감자는 짐이 평생 먹어본 어떤 음식보다도 정갈스럽고 맛이 좋구나. 정말. 그대의 따듯한 마음 고이 간직하겠노라."

의자가 백성들과 해후를 하고 있는데 지수신과 율의 모습이 눈에 잡혔다. 율은 누덕누덕 지은 모시 치마적삼에 모시 두건을 썼다. 율과 지수신이 백성들의 틈을 비집고 의자 곁으로 다가왔다. 어찌나 변장을 잘했는지 하마터면 지나칠 뻔했다.

"아바마마, 율이옵니다."

"네가 예식진의 손아귀에서 벗어나서 아비가 한시름 놓았지만 나라의 앞일이 걱정이다."

"나라 걱정은 마옵소서. 아바마마가 더 걱정이옵니다."

"율아, 아비 걱정은 말고 이 밀지를 복신에게 갖다 줘라. 사직에 관한 밀지다."

의자는 호송병이 눈치를 챌까 봐 말투 하나 표정 하나에 신경을 곤두세우면서 가슴속에 숨겨둔 밀지를 율의 손에 쥐어주었다. 그리고 시선을 돌려 지수신에게 말했다.

"짐이 숨겨둔 비밀이 있다. 그건 바로 그대의 아비 지광에 관한 일이다. 임자와 지광은 짐의 태자시절부터 보좌했다. 짐이 지광을 신임하자 권력욕이 강한 임자가 지광을 죽였다. 그때 짐은 지푸라기도 잡을 힘도 없었다. 한마디로 임자의 힘이 필요했다. 지금까지 숨긴 짐을 용서하라."

지수신은 예상 외로 담담했다.

"폐하의 잘못이 아니옵니다. 임자는 천벌을 받아 죽었사옵니다. 지금까지 소신을 거두어주신 성은을 어찌 감당하오리까."

"아바마마, 임자가 반역도 모자라 그런 일이…."

율이 애잔한 눈빛으로 지수신을 바라보았다. 임자가 왜 그렇게 지수신을 죽이려 했는지 이제야 알 것 같았다.

"심중에 간직하고 있던 지난 일을 다 털어놓으니 짐의 마음이 홀가분해졌다. 그대는 공주를 데리고 임존성으로 돌아가라. 잘못하면 소정방의 그물에 잡힐 수 있다."

"명심, 또 명심하겠사옵니다. 폐하."

백성들이 의자와 해후하려고 유왕산으로 몰려왔으나 유왕산은 인산인해(人山人海)라 망배산(望拜山)으로 올라갔다. 그리고 유왕산을 바라보면서 사배를 올렸다. 유왕산과 망배산, 모두 다 인산(人山)이 되어버렸지만 이별은 백성들의 아픔을 모른 척했다. 호송병이 창검으로 인산(人山)을 헤쳤다. 의자는 율이 손을 놓지 않자 화를 버럭 냈다.

"어명이다, 지금 당장 떠나라."

지수신이 율의 손을 잡아끌었다.

"공주님, 폐하의 뜻을 따르십시오. 지체할 시간이 없습니다."

발버둥을 친들 시간은 율의 편이 아니었다. 호송병의 눈을 피해 지수신과 율은 다시 임존성으로 말을 달렸다. 소정방은 망국 백성들이 의자에게 군왕의 예(禮)를 다하는 모습에 가슴이 뭉클했다. 정말 의자가 폭군이었는지 의구심이 들었지만, 의자가 호송선에 승선했다는 보고에 안도의 한숨을 내쉬었다.

"닻을 올리고 노를 저어라. 갈 길이 바쁘다."

소정방의 명령에 호송선이 물살을 가르니, 유왕산에서 소정방의 눈빛을 살피고 있던 갈매기가 날개를 퍼덕거리면서 하늘로 치솟았다. 마치 길 안내를 하는 것처럼 보였다.

율이 가지고 온 밀지에 임존성의 지휘부는 한동안 침묵이 흘렀다.

복신 아우에게 부탁하고 부탁한다. 짐과 태자가 당나라로 끌려가고 있어 사직의 명맥을 장담할 수 없으니 왜국에 볼모로 가있는 풍으로 하여금 짐의 뒤를 잇게 하라.

율이 밀지를 읽고 또 읽었다. 부왕의 성심을 알 것 같았다. 복신도 생각하니 한 번쯤은 짚고 넘어갈 일이었다.

"폐하의 밀지대로 풍 왕자를 모셔 와야 할 것 같소."

"부왕의 나라가 오랑캐 나라가 되어가고 있어요. 빨리 왜국에 사신을 보내십시오, 숙부님."

율이 독촉하였지만 나라의 주인을 세우는 일은 매우 신중하게 처리해야만 했다. 흑치상지가 조심스럽게 입을 열었다.

"풍 왕자로 후사를 정하고 난 후 태자가 귀국하면 왕자 분끼리 내분이 일어날 수도 있고, 이곳에 태자의 적손인 세손도 계시니 쉽게 결정해서는 안 될 것 같습니다."

문사는 목까지 치밀어오는 화를 가까스로 참았다. 아버지가 태자위에 올라있고 태자의 아들이 버젓이 살아있는데, 왜국에서 볼모 생활을 하고 있는 풍 숙부를 후사로 정하신 할아버지의 처사가 야속했다.

"폐하의 밀지에 신하된 자가 반대하면 또 한 번 불충을 저지른 것이며 급변하는 전황에 당나라에 끌려가신 태자를 마냥 기다릴 수 없소."

복신의 결단에 흑치상지는 한 발 물러섰다.

"폐하의 성심을 생각하지 않고 태자만 생각한 것 같습니다. 더구나 귀국한다는 보장도 없으니 밀지대로 하십시오."

"내 고심을 이해해주어 고맙소, 흑치상지 장군."

지수신은 소정방에게 당했던 패전이 눈앞에 선했다.

"풍 왕자로 후계를 세우면 왜국에서 군사지원도 끌어낼 수 있습니다. 전략적으로도 매우 좋습니다."

사타상여도 찬성했다.

"당나라 오랑캐를 몰아내기 위해선 왜국의 지원은 꼭 필요합니다. 더 이상 미루지 마십시오."

복신의 얼굴이 한 고비를 넘긴 듯 밝아졌다.

"때마침 임존성에 귀지(貴智)공이 머물고 있소. 귀지 공은 왜국을 사신으로 왕래한 경험이 있고 왜왕과 친분이 두터운 분이오. 임존성에 재물이 없으므로 이번 전쟁에서 포로로 잡은 당병 1백을 선물로 보내겠소."

의자의 후사는 표면적으로 일단락되면서 왜국에 보낼 사신도 정했다. 하지만 지수신의 바라보는 복신의 눈빛이 심상치 않았다.

"혹시 덕집득이란 사람 아시오? 김유신의 세작 같아서 내쫓으려 하다가 그만."

"덕집득이 임존성에…."

"그렇소. 성 밖에서 장군을 기다리고 있소. 생각 같아선…."

"성주님이 큰 실수를 하셨습니다. 그의 도움이 없었다면 흥수의 진언서를 가지고 올 수 없었습니다. 빨리 들어오게 하십시오."

복신은 민망한 듯이 머리를 긁적거리면서 병사에게 명령했다.

"그래서 그자가 장군이 오길 기다렸군, 냉큼 그자를 데리고 와라."

"네, 성주님."

병사에 의해 덕집득이 허름한 옷차림으로 나타났다. 턱 쪼가리가 얼굴을 반쯤 차지한 모습이 광대처럼 우스꽝스럽게 보였다. 복신의 말대로 나라를 좀먹는 간신배 형상이었으나 지수신은 아니었다.

"임존성에 잘 오셨소. 정말 반갑소."

"오랑캐와 싸운 장군님의 무용이 소인의 귀에까지 들려왔습니다. 그동안 고생 많이 하셨습니다."

율도 반갑게 말했다.

"고마미지현에서 도움을 많이 받았어요. 한데 임존성에는 웬일로?…"

"궁벽한 현의 현령이지만 폐하의 행주는 도저히 참을 수가 없었습니다. 해서 작은 힘이라도 보태고자 왔는데 성주님이 믿지 못하시니 답답합니다. 공주님."

율이 복신을 탓했다.

"저런 분을 내치다니 사과하십시오. 숙부님."

"내가 잠시 눈이 어두웠나 보오. 정말 미안하게 되었소."

덕집득은 복신의 사과를 마지못해 받아들였다.

"당치 않는 말씀을, 소인의 행색이 이러니 오해 살 만합니다."

나라가 망해 갈 곳 없던 덕집득에게 희소식이 들려왔다. 복신이 소정방을 물리쳤다는 낭보였다. 공명을 이룰 마지막 기회라 생각한 덕집득이 고마미지현의 인장을 비장에게 던져주고 임존성의 성문을 두드렸다. 그러나 복신은 덕집득의 행색이 마음에 들지 아니했는지 쳐다보지도 않았다. 복신의 사과로 지휘부에 훈풍이 돌았지만 지수신의 표정은 어두웠다.

"스승님의 행방을 찾아보셨소? 아시면 말씀해주시오."

지수신의 독촉에 덕집득이 열변을 토했다.

"장군님이 떠난 뒤, 비구니 한 분이 천관산의 기암절벽을 돌면서 희귀한 약초를 캐러 다닌다는 소문이 온 고을에 퍼지기 시작했습니다. 이를 수상히 여긴 병사들이 비구니가 머무는 암자를 살펴보았습니다. 천만뜻밖에도 그곳에서 좌평을…."

덕집득이 흥수를 찾기 위해 고생했다는 듯 공치사를 거듭해대고 있는데, 어떻게 알고 왔는지 선이 지휘부에 들어왔다. 그리고 숨 쉴 겨를도 없이 덕집득을 다그쳤다.

"현령님, 아버지가 살아계십니까? 말씀 좀 해주십시오."

"부친은 살아계시지만…."

"무슨 말씀이 그럽니까? 아시는 대로 말씀해주십시오."

"소인의 말을 마저 들으십시오. 부친을 찾았다는 병사들의 보고에 암자로 달려갔으나 기밀이 샜는지 암자는 텅 비어 있었습니다. 소인이 다시 찾아 나섰지만 암자가 수백 개가 되어 모래밭에서 바늘 찾는 격이었습니다. 때맞추어 나라가 망했다는 비보가

지 들려오니 소인도 두 손을 들고 말았습니다. 그런데 낭자, 한 가지 이상한 점이 있는데 들어보시렵니까?"

"이상한 점이라니 그게 무엇입니까?"

"부친을 돌본 비구니가 김유신에게 버림받은 천관녀라는 사실입니다. 혹시 짐작 가는 것이 있는지요?"

선은 가슴이 철렁했다.

"천관녀가 맞아요. 천관녀가 공양물을 주고 간 적이 한두 번이 아니었어요. 사실 천관녀의 덕택에 살았어요. 그런데 그분이 아버지를…."

"소인도 궁금합니다. 천관녀의 본심이 어디에 있는지."

덕집득이 못 믿겠다는 듯이 고개를 갸우뚱거렸지만 선은 아버지가 살았다는 사실만으로도 족했다.

"천관녀가 왜 아버지를 구했는지 알 수는 없지만 그나마 아버지 소식을 알았으니 한시름 놓았어요."

"부친의 소식만 전했지 생사를 확인 못 해 면목이 없습니다. 낭자."

문사는 덕집득이 홍수의 분신처럼 보였다.

"정말 고맙소, 좋은 소식을 알려 주시어…."

"소인이 한 일이라곤 홍수의 소재를 파악한 것밖에 없습니다. 말씀을 거두어주십시오, 세손마마."

"아니오. 홍수가 살아있다면 언젠가는 임존성에 나타날 것이오. 그 소식만이라도 족하오."

지수신은 살얼음판을 딛는 정세에 천관녀의 등장이 새로운 불씨를 만들까 봐 내심 걱정이 되었지만, 한편으로는 안도의 한숨을 내쉬었다.

"사매, 걱정 말고 기다려보자. 조만간 스승님을 뵐 수 있을 것 같으니…."

"그래요. 빨리 뵙고 싶어요, 오라버니."

선은 지수신의 위로에 마음이 울컥했다. 옆에 있지만 다가갈 수 없는 지수신이었다. 오로지 마음속에 담고 있어야만 했으나 오늘만은 달랐다. 자신의 마음을 전하듯 지수신을 애잔한 눈빛으로 바라보았다.

소정방이 철군하고 난 뒤 김춘추도 삼년산성으로 떠났다. 이제 사비성에 남은 병력은 당군 1만과 신라군 7천이 전부라 임존성의 장수들은 사비성 탈환이 눈앞에 온 것처럼 흥분했다.

또한 나당군의 만행에 분노한 백성들이 병사 되기를 자청하면서부터 군심이 하나로 뭉쳐지니, 흑치상지와 사타상여는 강병을 만들 기회가 왔다는 듯이 연병장에서 병사들과 훈련을 시작했다. 훈련을 거듭할수록 온몸에 구슬땀이 흘러내렸지만 흑치상지와 사타상여는 멈추지 않았다.

율은 흑치상지의 검술에 탄성을 질렀다. 몸놀림의 괴력이 어디서 나오는지 상상할 수 없을 정도로 날렵했다. 병사 수십 명이 목검으로 공격해도 칠 척 거한의 몸이 제비처럼 날쌨다. 사타상여도 검무를 추듯이 목검으로 초립 인형을 찌르고 베었다. 가르치는 자나 가르침을 받는 자나 훈련에 미쳐갔다.

"장하십니다. 사타상여 장군님"

율의 탄성에 사타상여가 말했다.

"소장의 검술은 흑치상지에 비해 턱없이 부족합니다. 육중한 몸을 제비처럼 날렵하게 움직이는 흑치상지를 보십시오. 관우 장비도 울고 갈 것 같지 않습니까, 공주님."

"그래요. 흑치상지 장군의 검술이 대단하군요. 병사들이 근접할 수 없으니…."

"이왕 말 나온 김에 공주님, 흑치상지와 한 말씀 나누어 보시죠."

"아닙니다. 사타상여 장군님, 저는 대련사에…."

사타상여가 율에게 말할 틈을 주지 않고 흑치상지를 불렀다.

"이리 오십시오. 형님, 공주님께서 부르십니다."

"알겠네, 아우."

흑치상지가 연병장을 나오자 율이 미소를 머금고 말했다.

"병사들의 훈련하는 모습이 보기 좋아 잠시 걸음을 멈추었어요. 그리고 사타상여 장군의 말씀대로 장군의 검술은 관우 장비도 울고 갈 것 같아요. 정말 대단해요."

"아닙니다. 사타상여가 소장보다 월등하니 그런 말씀 하지 마십시오."

"원 형님도. 그런 당치 않은 말씀을."

사타상여의 대답이 끝나자마자 훈련하고 있던 병사들이 야유를 퍼부었다.

"공주님만 보이고 우리 같은 졸병은 보이지 않습니까? 빨리 연병장으로 들어오십시오."

"공주님, 저놈들을 혼내주어야겠습니다. 두 분 말씀 나누십시오."

사타상여가 눈앞에서 사라지자 흑치상지의 심장이 가파르게 뛰었다.

"소장이 공주님을 잊으려고 사비성을 떠났지만 한시도 공주님을 잊을 수가 없었습니다. 공주님, 말씀해 주십시오. 소장이 왜 공주님의 마음에 차지 않은지."

"장군님의 마음을 모르지 않지만 저도 제 마음을 마음대로 할 수 없습니다. 이런 마음을 전하는 저를 용서하십시오."

율이 매몰차게 거절하고 발길을 돌리자 흑치상지의 얼굴이 돌처럼 굳어졌다. 연모하는 사람을 눈앞에 두고 잊어야 한다는 현실은 뼈를 깎는 아픔이었다. 흑치상지가 율에게 화를 풀듯이 연병장로 들어가 애꿎은 병사들에게 호통을 쳤다.

"잘못하면 너희들의 수급은 오랑캐의 젯밥이 된다. 젯밥이 되지 않으려면 정신을 똑바로 차려라."

검을 든 흑치상지의 육중한 몸이 허공에서 흐느적거렸다. 하지만 잊는다고 잊히는 것이 아니었다. 성곽을 점검하고 있는 지수신에게 도망치듯 달려가는 율이 눈에 잡히자, 흑치상지의 메마른 가슴에 불기둥이 솟았다. 흑치상지의 마음을 알 길 없는 지수신이 율의 안색을 살피면서 물었다.

"연병장에서 흑치상지와 무슨 일이 있었습니까? 안색이 안 좋아 보입니다."

"일은 무슨, 흑치상지의 검술을 잠시 구경했어요."

"조심하십시오. 흑치상지의 눈빛이 예전 같지 않습니다. 은근히 겁이 납니다."

율은 가슴이 뜨끔했다.

"글쎄요. 모르겠는데요, 흑치상지가 무슨 생각을 하는지."

"아닙니다. 제가 잠시 오해했나 봅니다. 잊어버리십시오, 공주님."

"싱겁기는…."

율은 말꼬리를 흐리면서 눈길을 봉수산의 협곡으로 돌렸다. 가을은 언제나 풍요로웠다. 갈라진 밤송이 사이로 밤 삼형제가 그윽한 빛을 발하고 붉은 홍시가 풍만한 가슴으로 지나가는 까치를 유혹했다.

"봉수산의 가을 풍경이 참 고와요, 사형."

"공주님, 이런 곳에서 단 하루만이라도 살아보았으면 원이 없겠습니다."

"제 생각도 같아요. 정말 평화로워요."

율의 여심이 가을 정취에 반짝거렸지만 시간은 이들에게 한가로움을 허락하지 않았다. 복신으로부터 전갈이 왔다.

"성주님께서 찾으십니다. 공주님."

병사의 독촉에 지수신과 율이 지휘부로 들어가자 복신이 심각한 표정을 지으면서 말했다.

"폐하의 굴욕적인 모습을 지켜본 우술성(雨述城)의 병사들과 백성들이 남령에 진을 치고 사비성의 탈환에 심혈을 기울이고 있소. 하니 우리도 힘을 보태야 할 것 같소."

지수신은 검일이 생각났다.

"남령이라면 청마산성이 아닙니까? 제가 남령으로 출병해 폐하의 한을 풀겠습니다. 허락해 주십시오, 성주님."

"장군이라면 믿어 의심치 않소. 고맙소."

흑치상지도 출병하고 싶었다. 율이 지수신만 바라보고 있어 매순간이 지겨웠다.

"성주님, 소장에게는 왜 말씀이 없습니까?"

"장군은 생각한 곳이 따로 있소. 조급하게 생각하지 말고 잠시 기다리시오."

"그런 뜻이라면, 알겠습니다."

흑치상지가 마지못해 승낙했지만 율은 아니었다. 한마디로 흑치상지의 시선을 피하고 싶었다.

“저도 남령에 가겠어요. 숙부님, 허락해주셔요.”

“공주님이 왜 말씀이 없나 했습니다. 그리 하십시오.”

흑치상지는 율이 임존성에 남기를 바랐는데 남령으로 간다고 하니 지수신이 눈엣가시처럼 보였다. 아니 가시였다. 이렇게 남령으로 출병하는 전략회의가 끝나자 임존성은 긴박하게 움직였다. 어둠이 깔리면서 술시(戌時, 19-21시)가 되었다. 지수신과 율은 병사 1천을 앞세우고 남령으로 떠났다.

12장 / 함거

사비성의 분위기가 급속히 바뀌었다. 백성들이 비둘기처럼 모이고 고슴도치처럼 일어나 산과 골짜기에 가득 차(蜂屯蝟起 彌山滿谷) 병사 되기를 자청하니, 사비성의 외곽은 백제군의 차지가 되었다.

사비성의 도호 유인원이 백제군의 등쌀을 견디다 못해 부소산성으로 군영을 옮기자 백제군이 사비성을 무법천지로 만들었다. 지난밤에도 당군 백여 명이 백제군의 기습으로 몰살당했다는 급보가 잠에서 깨기도 전에 들어왔다.

"패잔병 무리에 지나지 않은 잔적들에게 백여 명이나 되는 대당의 병사가, 이번만은 결코 물러서지 않겠다."

유인원이 불같이 화를 내자 우군부장 마연경(馬延卿)의 얼굴색이 변했다.

"망국 백성들은 모두 다 우리의 적입니다. 남녀노소 모두 병기될 만한 것을 가지고 잔적들을 돕고 있습니다. 공격보다는 방어가 먼저입니다."

"그렇게 계속 놓아두면 잔적들이 망둥이처럼 날뛸 텐데 보고만 있으란 말인가?"

"현재 군량은 바닥났고 우리 병력은 적습니다. 섣불리 대응하면 섶을 지고 불속에 들어가는 격입니다. 낙양은 멀고 신라는 지척에 있으니 신라의 지원을 받아야 합니다."

백제군은 나당군의 군량이 바닥난 것을 알고 사비성의 남쪽능선에 목책을 세우고 기습공격을 감행했다. 유인원이 마연경의 만류로 지휘부에 갇혀 끙끙대고 있는데 신라 왕자 김인태가 겁먹은 얼굴로 나타났다.

"도호님, 지수신이 남령의 잔적들과 합류했다는 첩보입니다. 잘못하면 사비성이 고립될 수 있습니다."

"왕자는 우선 부왕께 사비성의 위급함을 알리시오. 부왕이 남령의 보급로만 열어준다면 큰 어려움이 없을 거요. 그렇다고 마냥 기다릴 수만 없으니 내가 남령으로 가겠소."

"안 됩니다. 김춘추가 올 때까지 참으십시오."

"우군부장, 잔적들의 전횡을 방치한다면 도호의 수치고 황제의 수치다. 이제 잔적들의 수괴 지수신이 병력을 끌고 왔다 하니 내 필히 그놈의 수급을 취해야겠다."

유인원이 마연경의 반대에도 남령으로 출병하니 잔적들의 동태를 감시하고 있던 병사들이 군례를 했다. 밤새 얼마나 잔적들에게 시달렸는지 눈이 퉁퉁 부어 있고 갑옷은 피범벅이 되어 있었다. 처음 출병할 때의 당당함과 거만한 표정은 먼 옛날이야기가 된 듯 병사들의 행색은 초라했다.

율과 지수신이 새벽녘이 다 되어 남령에 도착했다. 하지만 남령은 어느 한 곳도 성한 곳이 없고, 청마산성도 풀 한 포기 남아 있지 않을 정도로 처참하게 파괴되어 있었다. 지수신과 율이 한

숨을 내쉬었지만 남령의 백제군을 지휘하고 있는 우술성주 조복(助服)이 반갑게 맞았다.

"남령에 잘 오셨습니다. 공주님."

"황량한 남령에서 사비성 도호의 숨통을 거머쥐다니 정말 대단해요. 성주님."

"숨통까지, 그 정도는 아닙니다. 공주님."

지수신이 조복의 손을 덥석 잡았다.

"그런 말씀 마십시오. 복신 장군도 성주님의 승전에 고무되었습니다. 해서 소장이 힘을 보태고자 왔습니다."

조복의 전략은 전면전이 아니라 치고 빠지는 기습공격이었다. 지난밤에도 정양문을 수비하고 있던 당군을 쥐도 새도 모르게 참살했다.

"어찌 되었건 잘 되었습니다. 이 조복과 장군이 힘을 합친다면 유인원 정도야 못 잡겠습니까?"

조복의 얼굴이 천군만마를 얻은 것처럼 밝아지고 있는데 사비성으로 척후를 나갔던 병사가 나타났다.

"사비성 도호 유인원이 남령으로 출병했습니다. 빨리 대책을 강구해야 할 것 같습니다. 성주님,"

병사의 보고에 지수신은 그간 소정방에게 당했던 순간들이 머릿속에 떠올랐다. 그 아픔을 유인원에게 되돌려주고 싶었다.

"성주님, 유인원을 내게 맡겨주십시오. 유인원과 원한이 깊습니다."

"누가 싸우든 무슨 상관이 있소. 이번 기회에 유인원의 코를 납작하게 눌러 줍시다."

지수신과 조복이 성난 파도가 몰아치듯이 몰려오는 당군을 유심히 바라보니 선봉이 사비성 도호 유인원이요. 뒤따라오는 자는 우군부장 마연경이었다. 지수신은 외나무다리에서 만난 원수처럼 일갈 호통을 쳤다.

"유인원 이놈아, 소정방을 따라갈 것이지 무슨 미련이 있어 이곳에 남았느냐?"

"더 이상 도망갈 곳도 없는 놈이 천명을 거역하는구나."

"천명이란 말을 어디다 쓰느냐? 무고한 백성들의 재물을 빼앗고 부녀자를 겁탈한 죄가 천명을 거역한 죄다."

지수신의 호통에 백제군이 북을 두드리면서 엄호했다.

"쥐새끼처럼 숨어있던 유인원이 나왔구나. 죽여서 오랑캐 땅으로 돌려보내자. 둥둥둥."

유인원이 대노했다.

"죽는 것이 네 소원이라면 들어주마."

"유인원 이놈아, 죽을 놈은 바로 네놈이다."

지수신이 유인원의 가슴을 창으로 찔렀지만 유인원도 만만치 않았다. 말 등에 납작 엎드리니 창이 유인원의 등가죽을 스치고 지나갔다. 가까스로 위기를 넘긴 유인원이 지수신을 검으로 가격했다. 이렇게 수십 합이 지나도 승부는 나지 않고 싸움만 지루하게 계속되자 마연경이 달려 나왔다.

"물러서십시오, 도호님. 소장이 지수신을 상대하겠습니다."

"우군부장은 나서지 마라, 명령이다."

"아닙니다. 소장이…."

유인원의 만류에도 마연경이 지수신의 우측을 파고들자 율이 검을 빼 들었다.

"마연경 이놈, 네놈을 가만두지 않겠다."

율이 전광석화처럼 마연경의 목을 내리치니 마연경이 단말마를 지르면서 쓰러졌다.

"네년이. 으흑…."

마연경의 죽음으로 전황이 백제군으로 기울자 유인원이 체념하듯 퇴각 명령을 내렸다.

"대당의 병사들아. 우군부장의 죽음은 아쉽지만 부소산성으로 돌아가자."

지수신이 유인원을 조롱했다.

"유인원 이놈아, 목을 놓고 가라."

"오늘만 날이 아니다. 다음에 네놈의 수급을 취하고 공주를 생포하겠다. 그때까지 몸조심하고 있어라."

백제군이 승기를 잡은 듯이 함성을 지르면서 퇴각하는 당군의 뒤를 쫓았다.

"와와, 오랑캐를 사비성에서 몰아내자."

조복의 얼굴색이 급변했다.

"저놈들을 쫓지 마라. 우리가 원하는 것은 전면전이 아니라 기습공격이다."

조복의 명령에 백제군이 일제히 멈추었지만 율은 마연경을 죽인 그 순간이 가시지 않는지 심장이 널뛰듯이 뛰었다. 조복이 율의 눈빛을 살피면서 말했다.

"마연경을 단숨에, 정말 대단했습니다, 공주님."

"유인원을 잡아야 하는데 그놈의 수하를, 너무 아쉬워요, 성주님."

율은 유인원을 잡지 못해 아쉬워했으나 나당군에게 처자식을 빼앗긴 병사들은 남령의 승전이 가뭄에 단비가 되었다. 이렇게 백제군의 사기가 당군을 압도하자 사비성 도호 유인원은 부소산성에 틀어박혀 신라군이 오기만을 눈 빠지게 기다리기 시작했다.

김유신은 김춘추의 일방적으로 밀어붙이는 힘에 두 손을 들었다. 결국 이빨 빠진 호랑이가 되어 노복과 말동무나 하는 뒷방늙은이가 되고 말았다. 김유신이 노복을 불렀다.

"튼튼한 말 한 필을 끌고 와라. 돌아볼 곳이 있다."

"네, 대장군."

"이놈아, 군문에 물러났으니 나리라고 불러라. 누가 들으면 군문에 미련이 있는 줄 알겠다."

"알겠습니다. 나리."

노복은 종종걸음으로 마구간에 들어가 말갈기가 시원하게 생긴 흑마 한 필을 끌고 나왔다.

"산천을 벗 삼아 심신의 피로를 풀고 오겠다. 안방마님에게도 그리 전하라."

"언제쯤 오신다고 말씀이라도 하시면…."

김유신의 첫 번째 부인은 일찍 병들어 죽었고, 김춘추가 딸인 지소를 둘째 부인으로 주었지만 많은 나이 차이와 숙질간이라는 이질적인 조건 때문에 부부지간으로서 따뜻한 정은 별로 없었다. 지소도 이런 부군이 어려워 안채에서 나오지 않은 날이 많았다.

"산천 구경 가는데 어떻게 돌아오는 날짜를 정하느냐? 네놈이 생각나는 대로 마님께 전해라."

김유신이 화풀이를 노복에게 풀고 남산(南山)으로 말고삐를 잡아당겼다. 남산은 영물스러운 거북이 형상으로, 협곡이 깊고 신비스런 바위가 용트림을 하듯 자태를 뽐내면서 하늘을 떠받치고 있었다. 또한 금오봉(金鰲峰)과 고위봉(高位峰)은 박혁거세가 육촌장을 거느리고 나라를 열기 전부터 서라벌을 지켰다.

김유신은 남산기슭에 자리 잡고 있는 조그만 한 절집을 찾아 들어갔다. 절집은 폐사(廢寺)나 다름없고 처마는 군데군데 찢어져 하늘이 보이니 수도승이 떠난 것처럼 을씨년스러웠다. 김유신은 낙담하면서 먼지로 뒤덮인 툇마루에 걸터앉았다.

김유신은 서라벌의 저잣거리와 잘 정돈된 궁궐을 번갈아 보면서 천관녀의 애틋한 숨결을 회상했다. 천관녀의 연모는 금오봉보다도 높고 깊었지만 어머니의 꾸지람에 절연을 했다. 죄 없는 애마만 절연의 제물로 바친 이들의 비련은 풍류객의 화젯거리가 되었다. 천관녀가 비구니가 되었다는 소문에도 남의 일인 양, 무시하고 외면하니 입신(立身)에 눈먼 위인이라고 조롱의 눈길도 수없이 받았다.

결국 군권을 내놓고서야 천관녀가 머물고 있다는 남산에 나타났다. 김유신은 천관녀의 흔적이라도 찾으려고 폐사를 둘러보다가 암자를 발견했다. 김유신이 조심스럽게 암자를 들어다보고 있는데 뒤에서 인기척소리가 들렸다.

"혹시 대장군이 아니신지…."

환갑이 됨직한 비구니였다. 손에 염주가 들려 있고, 더덕더덕 지어진 누더기 장삼은 수도의 연륜을 나타내는 것 같았다.

"나를 알아보는 스님은 누구신지."

"대장군이 맞군요. 소승은 천관녀를 모시던 초란입니다."

"스님이 초란이라고? 천관녀는 지금 어디 계시는지, 이 절은 폐사인데."

"천관스님은 대장군께 짐이 될까 봐 수년 전에 떠났습니다."

"그러면 어디로 가셨는지 아오?"

"대장군의 마음은 소승도 알고 있으나 찾지 않는 것이 천관스님을 도와 드리는 것이옵니다."

"많은 세월이 흘렀건만 그때의 이별이 나를 괴롭히고 있소. 거듭 부탁하오, 초란스님."

김유신이 애절한 눈빛으로 비구니에게 매달렸다,

"그리 청하시니 한 말씀만 드리겠습니다. 수도하는 수도승들이 소승의 암자에 가끔 머무는 적이 있었습니다. 한 수도승이 천관스님을 천관산에서 보았다는 말을 얼핏 한 적이 있지만, 지금 천관산에 계신다는 보장은 없습니다."

"천관산이라 그곳은 홍수의 유배지인데 내가 왜 그것을 몰랐을까. 천관녀가 천관산에…. 참으로 모를 일이로다. 고맙소, 초란스님."

"부처님의 자비가 함께 하시길, 소승은 이만…."

비구니가 합장을 하고 암자로 들어가 예불을 드리니 예불 소리가 은은하게 바람결을 타고 금오봉까지 울려 퍼졌다.

고마미지현의 어촌마을은 평화로웠다. 남정네는 돛단배에 어구를 실고 지평선 너머까지 신선한 물고기를 잡으러 나가고, 아낙네는 갯벌에서 키조개 바지락을 캐고 있었다. 금광이 따로 없고 바다 물길과 갯벌이 금광이었다.

천관녀는 홍수가 살았던 집터를 바라보았다. 집은 간 곳 없고 앙상하게 타다 남은 서까래 몇 조각, 불에 그을린 황토와 덩그렇게 놓여있는 주춧돌만이 천관녀를 반겼다. 향나무는 언제부터인지는 몰라도 그 진한 향을 잃어버렸다.

어촌마을 사람들은 충신이 죽으니 향나무가 진한 향을 잃었다면서 지조가 사람보다 낫다고 더욱 신령시 하는 사람도 있고, 신기를 전하는 향이 없어졌으니 썩은 고목에 지나지 않는다면서 등한시하는 사람도 있었다. 천관녀는 향나무를 바라보면서 홍수가 단검을 맞고 쓰러진 그 순간을 회상했다.

검은 두건을 쓴 무사들이 천관녀가 머무는 암자로 들이닥쳤다. 천관녀는 무사들의 두목을 보고 가슴이 철렁 내려앉았다. 그는 김유신이 젊은 시절부터 데리고 다니던 냉혈한 김문영이었다.

"사비성에서 유배 온 홍수의 거처를 아느냐?"

"처음 듣는 사람인데 누군가요. 불자님?"

천관녀는 김문영의 음산한 어조에 모른 척했다. 김유신이 또 무슨 짓을 꾸미고 있는 것 같았다. 홍수의 위기를 직감한 천관녀가 어촌마을로 내려왔다. 그리고 불심이 깃든 어부를 설득해, 해안가로 배를 띄웠다. 부처님이 천관녀를 도와주셨는지 피투성이가 된 홍수를 가까스로 구했다.

천관녀는 홍수를 돌보는 것이 전생의 업보로 생각하였는데, 홍수는 자신이 입고 다니던 장삼에 하직 인사 몇 자 적어놓고 사라졌다. 몸이 회복되었다고 하지만 단검을 맞은 상처가 마음에 걸렸다. 더욱 천관녀의 머릿속을 휘젓는 것은 딸 같은 선이 아버지의 처절한 사투를 어떻게 극복하고, 어디서 무얼 하고 사는지 궁금했다.

천관녀가 어촌을 돌고 있을 때, 고마미지현에 나타난 김유신은 천관산을 올려다보았다. 수백 개의 기암 바위로 이어진 천관산의 산세가 구름까지 파고들고, 다 자란 억새풀이 하늘을 떠받치고 있는 천주봉(天柱峰)과 조화를 이루어 하늘빛을 더욱 푸르게 했다.

김유신은 바윗길을 따라 한 식경 정도 올라갔지만, 수도승의 암자가 거미줄처럼 엉켜있어 천관녀가 어디에 있는지 찾을 수가 없었다. 결국 길가에 있는 암자에 들어가 수도승에게 물었다.

"죄송합니다만 잠시 쉬었다가 갈 수 있는지요. 스님?"

"부처님의 집을 찾아오셨는데 전부가 불자님의 집이오. 마음껏 쉬었다 가십시오."

"고맙소, 잠시 땀이라도 닦겠소."

"어디로 가시는 불자신데 천관산에 오셨습니까? 이곳은 암자와 수도승이 제일 많은 영산이오. 오신 이유가 있으실 것 같은데…."

"비구니를 찾고 있소. 나이는 환갑이 조금 넘을까 말까, 이름은 이 산 이름처럼 천관이라고 하는데 혹시 기억이라도 남는 비구니가 계시는지?"

수도승은 김유신의 모습을 훑어보면서 말했다,

"그 많은 비구니를 어떻게 일일이 기억하겠습니까? 하나 저 능선에 비구니의 암자가 많이 있습니다. 쉬었다가 가보십시오."

"고맙습니다, 스님."

김유신은 수도승이 말한 능선에 올라가보니 붉게 물든 석양이 천관산을 가슴에 품은 것처럼 장관을 이루고 있었다. 김유신은 천관산에 온 이유도 잊을 정도로 매료되었다. 이런 생각도 잠시 김유신의 시선이 시주보따리를 매고 바윗길로 걸어오는 비구니에게 멈추었다. 그리고 비구니의 얼굴에서 천관녀의 흔적을 찾으려는 것처럼 유심히 살펴보았다.

비록 늙었지만 티 없이 늙어 마치 문수보살처럼 접근할 수 없는 자태가 비구니의 얼굴에 드리워져 있었다. 천관녀가 분명했다. 천관녀도 김유신의 행색을 살폈다. 김유신과 헤어진 지 수십 년의 긴 세월이 지나건만, 늠름한 기상과 얼음처럼 찬 눈빛만은 숨길 수 없었다.

"대장군이 어떻게 이곳에…."

"한때 공명에 눈이 어두워 그대를 외면하였소. 용서하시오, 천관녀."

"속세의 인연은 대장군이 애마를 죽인 것으로 끝이 났습니다.

그 말씀은 소승에게 하실 말씀이 아닙니다."

"그것을 몰라서 온 것이 아니요. 내가 대장군까지 올라 백제를 멸망시켰지만 그대를 한시도 잊은 적이 없소."

"하찮은 비구니에게 그러실 필요 없습니다."

천관녀는 김유신에게 눈길 한 번 주지 않고 암자로 발길을 돌렸다. 김유신은 암자로 들어가는 천관녀가 야속했다.

"이 암자가 수도하고 있는 그대의 암자요?"

"그렇습니다. 이곳이 바로 소승의 극락입니다. 이제 서라벌로 돌아가옵소서."

"그대를 보고자 수백 리 길을 달려왔는데 쉬었다 가란 말 한 마디 없이 무정하게 돌려보낸단 말이오? 그러지 말고 서라벌에 갑시다. 내가 큰 절을 지어주겠소. 부탁이오."

"부처님의 공양은 절의 크기에 있지 않사옵니다. 이 암자도 소승에겐 과분하옵니다."

"이곳 천관산은 절경이나 잔적들이 숨어있는 곳이오. 특히 잔적들의 수괴 흥수가 숨어 있을 가능성이 매우 높소. 만약 그대가 나의 정인이었다는 것을 알면 무슨 일이 벌어질지 모르는 일이오. 그러니 두말 말고 갑시다."

천관녀는 죄를 지은 것처럼 가슴이 뜨끔했다.

"흥수가 누구입니까? 소승은 알 수 없을뿐더러 천관산에 그런 사람은 없습니다. 설령 있다고 해도 소승은 무섭지 않습니다. 소승의 곁에는 부처님이 계시니까요."

"홍수를 모른다니 안심은 되지만 왜 그리 내 마음을 모르시오?"

김유신은 혹시나 했다. 믿었던 김문영이 홍수의 수급을 가지고 오지 못하고 빈손으로 돌아왔다. 홍수가 천관산에 있다면 천관녀가 알 만한데 시치미를 뚝 떼는 것을 보니 정말 모르는 것 같았다.

본의 아니게 거짓말을 한 천관녀도 마음이 아프고, 잡고 싶었지만 김유신과 거리는 하늘을 떠받치고 있는 천주봉만큼이나 높았다. 바윗길로 허리가 굽은 늙은 비구니가 지팡이를 짚고 올라왔다.

"여기 계신 불자는 누구시냐?"

"지나가는 불자로 하산하는 길을 알려드리는 중이 옵니다."

늙은 비구니가 입가에 엷은 미소를 지으면서 말했다.

"불자님, 내려가려면 빨리 가십시오. 이 산길은 너무 험해 산짐승들도 밤에는 다니지 않습니다."

"가시는 길, 조심해서 가십시오, 대장군."

천관녀까지 재촉하자 김유신은 더 이상 머무를 수가 없었다.

"내 죄를 용서하시오, 천관녀."

힘없이 발길을 돌리는 김유신의 모습에 천관녀가 눈물을 흘리자 늙은 비구니가 화를 버럭 냈다.

"아직도 너의 몸에서 속세의 냄새가 나고 있구나. 이 암자는 너에게는 맞지 않는 것 같다. 당장 옮겨라."

늙은 비구니의 손에 잡혀 암자로 들어가는 천관녀의 모습이 애처로운지 천관산에 어둠이 깃들었다.

남령을 사수하고 있는 백제군의 진영에, 김춘추와 그의 아들 김법민이 이례성(爾禮城, 충남 연산)을 공략하고 있다는 첩보가 들어왔다. 조복은 말을 아꼈다.

"김춘추의 기세로 봐서 조만간 이례성은 함락될 것 같소."

지수신은 석성산성의 재현을 보는 것 같았다.

"김춘추의 3만 대군을 이례성의 적은 병력으로 막을 수 없습니다. 우리는 이를 대비해야 합니다, 성주님."

"어떻게 대비해야 할지 장군의 작전을 말해주시오. 우리 군의 병력도 그리 많지 않소. 김춘추가 남령으로 온다면 이례성보다 더 위험합니다."

"성주님, 청마산성이 당군에게 초토화되었지만 적을 막을 진지가 구축되어 있어 신라군을 막기에는 가장 좋습니다. 청마산성에서 신라군과 자웅을 겨룹시다."

율도 찬성했다.

"사형의 작전대로 해요. 김춘추는 김유신처럼 군사에는 밝지 않아요. 잘만 하면 막을 수 있어요."

백제군이 청마산성으로 군영을 옮겼지만, 이들을 반겨 맞는 것은 돌무더기가 되어버린 지휘부와 무너진 성곽뿐이었다. 그러나 병사들은 돌덩이로 무너진 성곽을 다시 쌓고 성문 앞에 목책을 세웠다. 이렇게 시간이 가고 날이 바뀌면서 남령의 능선에 검은 불꽃들이 연달아 타올랐다. 마치 이례성이 타는 것 같았다. 조복의 얼굴에 그늘이 졌다.

"지수신 장군, 저 검은 불꽃을 보니 이례성이 쑥대밭이 되었다는 징조 같소."

"소장도 그리 생각하지만 소정방의 13만 대군과 싸워보았소. 이까짓 3만 정도야 그에 비하면 약과요."

지수신이 위로했지만 그늘진 조복의 얼굴은 평상심으로 돌아오지 않았다. 붉게 타오르는 불꽃에 소쩍새도 울고 귀뚜라미도 따라 울었다. 병사들은 저승사자가 될지 모르는 신라군을 성곽 너머로 목을 길게 빼고 기다리기 시작했다. 율은 조복이 마음에 걸렸다.

"성주가 이상해요. 저런 상태로 전투나 제대로 할지 모르겠어요."

"저분은 전면전보다 국지전에 능한 장수입니다. 결코 탓할 일이 아닙니다. 공주님."

백제군의 형편으로서는 장수하나 병사 하나가 보석과도 같은 존재였다. 조복도 보석이었다.

김춘추는 김인태의 급보에 난감했다. 사비성에 군량이 떨어져 하루 세 끼를 두 끼로 줄이고, 된장과 소금은 구경한 지가 언제인지 모른다고 하면서 사비성을 포위하고 있는 잔적을 토벌해 달라고 설레발 쳤다.

김춘추는 고심 끝에 김유신에게 인계받은 3만 대군을 되돌려, 탄현고개를 넘었다. 그리고 청마산성의 길목을 지키고 있는 이례성을 전쟁 개시 하루 만에 초토화했다. 김춘추는 마치 무장으로서 자신의 능력을 보여주었다는 듯이 청마산성의 성루를 바라보면서 기염을 토했다.

"아비가 무장은 아니나 이례성을 치고 인근 20여 개 성의 항복을 받아냈다. 이제 청마산성만 평정하면 사비성의 보급로가 열릴 것이다. 그리고 아비가 대장군을 내친 이유를 말하겠다. 신하의 권력이 넘치면 군주의 위엄은 땅에 떨어진다. 권력이 속성을 이와 같으니 절대 한 사람에게 권력을 주지 마라. 친아우라도 믿지 마라."

김법민은 외숙의 직첩을 거둔 부왕의 마음을 알 수가 없었다. 잔적들이 나당군의 발목을 잡고 있는 작금의 현실에 부왕이 큰 모험을 하지 않았나 생각했다. 하지만 신묘한 전략으로 이례성을 함락시키고 20여 개의 성을 항복으로 유도했다.

"명심하겠사옵니다. 아바마마."

"말로만 명심하겠다고 하지 말고 가슴속에 새겨라."

김춘추가 상기된 얼굴로 청마산성의 성곽을 바라보았다. 지난밤에 얼마나 많은 단풍잎이 떨어졌는지 성곽이 붉게 물들었다. 그런데 성루가 수상했다. 김품일에게 물었다.

"성루에서 보일 듯 말 듯한 젊은 여인은 누구냐? 우리를 바라보는 눈길이 심상치 않구나."

김품일이 바라보니 공주 율이었다. 또한 율의 옆에 있는 자는 지수신이 분명했다.

"소정방이 탐내던 공주이옵니다."

"그럼 저자는 누구냐? 짐이 보건대 범상치 않은 놈 같구나."

"저자는 의자왕의 부마로 내정된 지수신이란 놈이옵니다."

"공주는 소정방으로부터 귀가 딱지가 앉도록 들었지만 지수신과 그런 사이란 것은 짐이 알지 못하였도다. 지수신은 죽여도 좋지만 공주는 생포하라. 짐이 소정방이 못다 이룬 꿈을 이루겠다."

김춘추는 소정방이 철군하기 직전, 율을 잡지 못해 아쉬움을 피력하던 모습이 생각났다. 그 율이 눈앞에 보였다. 율을 잡으려는 것처럼 신라군의 전 병력이 청마산성의 성곽을 기어오르고 화살을 폭죽 쏘듯 쏘아대니, 놀랜 산새들이 하늘로 치솟았다. 지수신은 개미 떼처럼 몰려오는 신라군을 보면서 명령을 내렸다.

"형제들아, 성곽을 기어오르는 신라군의 머리 위에 기름을 붓고 화살을 쏘아라."

병사들과 백성들이 펄펄 끓는 기름을 성곽 밑으로 부으니 신라군의 병사들이 비명을 지르면서 쓰러졌다. 그러나 신라군의 공격은 끝이 없었다. 당차로 계속 성문을 때렸다.

"사형, 적들이 계속 밀려와요. 성문이 열릴 것 같아요."

율의 절박한 목소리에 지수신이 성문을 바라보니 신라군의 끈질긴 공격에 성문이 버티지 못하고 산산조각이 나버렸다.

"형제들아, 신라군이 성안으로 들어오지 못하게 성문을 바윗덩이로 막아라."

백성들과 병사들이 바윗덩이와 돌로 성문을 틀어막자 신라군이 안 되겠다는 듯이 북문으로 화력을 돌렸다. 지수신은 조복에게 말했다.

"북문이 위험하오. 신라군이 북문으로 가고 있소."

"알겠소. 내 북문을 책임지리다."

조복이 북문으로 달려갔다. 그리고 우술성의 병사들에게 큰소리로 명령했다.

"우술성의 형제들아, 북문을 사수하라. 멈추지 말고 화살을 쏘아라."

하지만 전황은 조복의 생각대로 되지 않았다. 신라군이 북문을 부수고 성안으로 들이닥치니 조복의 부장 파가(波伽)는 가슴이 철렁했다.

"성주님, 청마산성에서 개죽음을 당하는 것보다 우술성으로 들어가 다음 기회를 보십시오. 3천으로 3만의 신라군을 당해낼 수 없습니다."

"그렇다면 공주와 지수신은 어찌 한단 말이냐? 그럴 수 없다."

"우술성으로 가자고 하십시오. 그러면 하는 말이 있을 겁니다. 죽는 것이 능사가 아닙니다. 후일을 도모하십시오."

"후일을…."

조복이 멈칫하는 사이에 파가가 큰소리로 외쳤다.

"성주님의 명이시다. 우술성으로 퇴각하라."

"알겠습니다. 부장님."

파가의 명령에 우술성의 병사들이, 신라군의 공격이 느슨한 동문성곽을 넘기 시작했다. 조복이 지수신에게 권했다.

"이제 청마산성은 끝났소. 나와 같이 우술성으로 갑시다."

"그게 무슨 말입니까, 적을 앞에 두고 도망치다니?"

"그럼 공주님이라도…."

율의 안색이 변했다.

"장수가 전장에서 죽어야지 제가 성주님을 잘못 본 것 같습니다."

율의 가시 돋친 말에 조복은 할 말이 없었다. 하지만 생사가 걸린 문제라 지체할 수가 없었다. 결국 조복도 동문성곽을 넘었다. 지수신이 율을 안타까운 눈빛으로 바라보면서 말했다.

"공주님도 피하십시오. 이곳은 제가 지키겠습니다."

"나 혼자 피하라고요, 그걸 말이라고 해요?"

"공주님의 생각이 그렇다면…."

지수신과 율이 성안으로 진입한 신라군과 사투를 벌였으나 김품일은 숨 쉴 겨를도 없이 병력을 투입했다.

"잔적들의 전열이 흐트러졌다. 지수신과 공주를 잡아라."

"와아… 와."

전황이 신라군으로 기울자 김춘추가 앙천대소했다.

"하하하. 짐이 소정방도 잡지 못한 공주를 생포하는구나. 황제에게 바칠 진상품이 상하면 안 되니 머리털 하나 손상되지 않게 생포하라."

"저 연놈을 소장에게 맡기십시오, 폐하."

김품일이 율을 잡은 것처럼 콧노래를 불렀지만 지수신은 아니었다.

"이놈 김품일아, 이곳이 어디라고 왔느냐? 이곳이 네놈이 묻힐 무덤이다."

"네놈의 목숨이나 구걸해라. 이제 잔적 무리는 다 죽고 네놈과 계집만 남았다."

김품일이 검으로 지수신의 목을 가격하니 지수신이 날렵하게 피하면서 창으로 김품일의 가슴을 찔렀다. 이들의 불꽃 튀는 사투에 김춘추의 입이 크게 벌어졌다.

"과연 짐이 듣던 대로 용장이로다."

김춘추의 시선이 서서히 율에게 옮겨갔다. 율의 검 쓰는 모습이 선녀가 군무를 추는 것처럼 김춘추의 눈을 사로잡았다.

"김품일 장군, 공주와 지수신을 빨리 생포하라."

"알겠사옵니다. 폐하."

신라군이 지수신과 율을 겹겹이 에워쌌다. 하지만 지수신은 창을 불같이 쓰면서 김품일을 공격했다.

"장수란 놈이 내 창이 무서워 못 덤비느냐?"

김품일이 되받아쳤다.

"이런 놈을 보았나? 잠시 숨통을 열어주었더니 헛소리만 해대는구나. 저 연놈에게 그물을 던져라. 늦으면 폐하께서 노하신다."

신라군이 그물을 던지니 지수신과 율은 그물에 잡힌 사냥감으로 변했다. 그물로 인해 상황이 끝나버리자 지수신이 피눈물을 흘리면서 말했다.

"김품일 이놈아, 백제의 장수로서 네놈을 죽이지 못해 원통하다."

"나를 죽이는 것보다 더 급한 것이 있다. 네놈이 연모하는 계집을 당 황제에게 진상한다고 대왕께서 말씀하셨다. 마지막 이별이나 실컷 해두어라."

율의 얼굴에 핏기가 가셨다.

"네놈들 뜻대로 될 것 같으냐? 꿈도 꾸지 마라."

"천명은 정해졌소. 공주님, 하하하."

김품일이 비웃다가 뒤로 한발 물러섰다. 김춘추가 나타나 그물에 잡힌 율과 지수신을 번갈아 보면서 말했다.

"너희 연놈의 목숨은 짐의 손에 달렸다. 짐에게 할 말이 없는가?"

"원통하게 잡혀 할 말은 없지만 네놈 얼굴 보기가 구역질이 난다. 죽여라."

김춘추는 율과 지수신을 생포했다. 목까지 올라오는 희열을 만끽했다.

"그 기상 한번 당차지만 하늘의 뜻은 이미 정해졌다. 망한 나라에 미련을 두지 말고 짐의 곁으로 오면 공후로 임명하겠다."

지수신은 율을 지켜주지 못한 아쉬움이 마음을 괴롭게 했다.

"꿈같은 소리 하지 말라. 군왕을 잘못 모신 장수로서 죽음이 있을 뿐이다. 내 이름을 더럽히지 말고 죽여라."

김춘추는 지수신의 서릿발 같은 기상에 항복을 받는 것보다 죽이는 것이 쉬울 것 같았다. 마른침을 한 번 삼킨 후 율을 바라보니 장미꽃처럼 붉게 타오르는 입술과 해맑은 눈망울이 김춘추를 유혹했다. 노탐이 꿈틀거렸지만 소정방이 점찍어 놓은 율을 취했다가는 괴롭힘을 당할 것만 같았다.

"네 아비가 죄가 있지 네가 무슨 죄가 있겠느냐? 네 너를 어여삐 여겨 당 황제의 첩으로 보내겠다."

"네 이놈 김춘추, 미인계로 나를 팔아먹다니 정말 자존심 없는 치졸한 놈이로구나."

김품일이 김춘추의 눈빛을 살피면서 말했다.

"폐하를 욕보이는 저 연놈을 어찌하실지 명을 내려주옵소서."

"사비성으로 압송하라. 쥐새끼처럼 숨어서 먹을 것만 달라고 보채는 유인원의 표정을 한번 봐야겠다."

"소정방도 잡지 못한 공주를 잡았으니 유인원도 고개를 숙이지 않겠나이까? 명을 받들겠사옵니다."

김춘추는 김품일의 세 치 혀에 만족한 표정을 지으면서 김법민에게 물었다.

"이번 전쟁에 생포한 잔적이 얼마나 되느냐?"

"1천 5백입니다, 아바마마."

"1천 5백이라, 얼마 되지 않는구나. 진나라의 장수 백기(白起)는 장평전투에서 조나라 포로 40만을 일시에 생매장해 진나라를 육국(六國)이 넘보지 못하게 하였다. 짐도 백기처럼 잔적들에게 경각심을 심어 주겠다. 잔적 무리를 모두 참살해 하늘의 무서움을 알게 하라."

김법민은 망설였다. 1천 5백은 적은 수가 아니었다.

"그렇게까지… 아바마마."

"일국의 태자가 그렇게 나약해서야 군주로서 위엄이 서겠느냐? 명대로 참살하라."

"네, 아바마마."

김춘추는 전쟁에 자신이 붙었다. 김유신이 우습게 보였다.

"태자는 들어라, 청마산성의 함락으로 사비성의 보급로가 열렸지만 잠성(岑城, 현 울성산성, 부여군 규암면)이 문제다. 잠성은 부소산성의 지척에 있어 안심할 수 없다. 짐이 잠성을 공략하고 사비성에 들어가겠다."

"아바마마, 잠성에는 다른 장수를 보내옵소서. 더 이상 친정만은 안 되옵니다."

"잠성을 지척에 두고 물러설 수 없다."

김춘추는 김법민의 반대에도 불구하고 잠성의 잔적을 토벌하기 위해 3만 대군을 몰고 떠났다. 신라군에 생포된 백제군 1천 5백이 도부수(刀斧手)의 검에 목이 잘려나갔다. 피바람의 살육이 계속되자 도부수의 검이 무뎌졌다. 도부수는 잘리지 않는 목을 자르기 위해 두세 번씩 내리쳤다.

적막감이 감돌던 사비성의 저잣거리가 뜨겁게 달아오르기 시작했다. 율은 당황제의 첩으로 진상되고 지수신은 김춘추가 잠성을 평정하고 난 뒤, 죄를 묻겠다는 소문이 먹장구름처럼 사비성의 하늘을 덮었다. 더욱 가슴 아픈 것은 1천 5백의 아까운 병사가 생으로 목이 잘렸다는 비보였다. 이런 비보에도 사비성의 밤은 깊어가고 달빛은 창연했다.

율과 지수신을 가둔 함거가 삐거덕거리면서 사비성에 들어서자 저잣거리가 백성들의 인파로 몸살을 앓기 시작했다. 호송병이 함거를 끌고 가면서 고래고래 소리를 내질렀다.

"이놈들아, 잔적의 괴수가 나가신다, 길을 비켜라."

호송병의 위협에도 눈 한 번 깜짝하지 않고 늙은 아낙이 함거를 붙잡았다.

"아이고 공주님, 꽃다운 나이에 오랑캐의 첩으로, 천벌을 받을 놈들…."

김품일이 늙은 아낙을 채찍으로 내리쳤다.

"물러서라. 함거에 달라붙은 놈들은 모두 죽이겠다."

호송병의 삼엄한 경비에도 백성들의 인파는 끝이 없었다. 조금 전까지 을씨년스럽던 사비성의 저잣거리가, 백성들의 인파로 신음할 줄은 김품일도 생각하지 못했다.

"소녀는 괜찮아요. 슬퍼하지 마십시오."

백성들의 눈물 어린 정경에 율도 지수신도 목이 메었다. 함거를 끌고 가던 늙은 소가 뒤가 급했는지 가다 말고 부드득거리면서 똥을 내질렀다.

"이놈의 소를 봐라. 아무 때나 똥을 내지르는구나. 이렇게 가다가는 도호부까지 한 달이 걸리겠다. 빨리 소를 몰아라."

김품일의 음산한 목소리가 밤하늘을 갈랐다. 이때 지수신은 자신의 눈을 의심했다. 백성들의 인파 속에서 백발노인을 발견

했다. 그의 뒤에 젊은 장정이 눈을 번뜩이고 있었다. 율은 지수신의 얼굴이 밝아지자 어리둥절했다,

"왜 그래요, 사형?"

"저기 백발노인을…."

지수신의 손끝을 따라 율의 시선이 백발노인에게 옮겨갔다.

"혹시 스승님…."

함거가 이들의 수상한 행동을 눈치채지 못하고 거미줄처럼 엉킨 저잣거리로 들어가니 젊은 장정이 김품일의 앞을 가로막았다.

"장군님, 지수신과 공주를 한 번만 뵙게 해주십시오. 그 은혜는 평생 잊지 않겠습니다."

"네놈들이 그런다고 공주가 당 황제의 첩년이 안 되고 지수신이 살아나겠느냐? 비키지 않으면 모두 다 죽이겠다."

김품일이 채찍으로 장정의 등짝을 내리쳤다. 채찍을 맞은 장정이 땅에 떼굴떼굴 뒹굴면서 큰소리로 외쳤다.

"신라놈들아, 우리 모두 죽여라."

장정의 절규에 백성들이 함거를 에워쌌다. 결국 함거는 앞으로 나갈 수도 없고 뒤로 물러설 수도 없는 딱한 처지로 변했다. 상황이 이상하게 변하자 김품일이 검을 빼들었다.

"함거를 막는 자는 한 놈도 남겨놓지 말고 모두 죽여라."

"알겠습니다. 장군님."

호송병이 대답했지만 수많은 백성들의 인파 앞에서는 창검도

소용이 없었다. 혼전을 거듭하는 사이 백발노인이 함거를 일거에 부수고 지수신에게 검을 던졌다.

"공주님을 모시고 함거를 빠져나와라."

지수신은 피눈물을 삼켰다. 백발노인이 던져준 검으로 호송병의 가슴을 내리쳤다. 율도 백발노인을 보고 피눈물을 삼켰다. 함거를 빠져나온 율과 지수신이 백성들의 인파 속으로 숨어 들어가자 김품일의 광기가 폭발했다. 더구나 지수신이 스승님이라고 말하는 백발노인의 모습이 어디서 본 듯했다.

"지수신의 스승이라면 죽었다던 흥수가 분명하다. 지수신보다 저 늙은이를 죽여라."

"김문영이 죽였다던 흥수가 살아왔단 말입니까?"

"분명 흥수다."

김품일과 호송병이 백발노인의 뒤를 좇았지만 백성들이 필사적으로 백발노인에게 길을 터주면서 온몸으로 막았다. 결국 하늘은 백성들의 손을 들어주었다.

13장 / 북망산(北邙山)

660년 11월1일, 동녘이 밝아오자 황제 이치가 낙양성의 측천문(則天門)에서 군신을 대동하고 소정방이 나타나길 기다렸다. 그리고 황제의 위상을 만천하에게 고하기 위해 흉노 왕과 왜국 사신을 입조케 했다. 낙양성에 들어온 소정방이 이치에게 군례를 하자 고루(鼓樓)에서 북소리가 장엄하게 울려 퍼졌다.

"백제를 멸한 대총관의 공은 대당제국을 반석 위에 놓게 한 초석이 되었소. 이 여세를 몰아 중원의 두통거리인 고구려까지 멸한다면 이보다 더 좋은 일이 어디 있겠소."

이치가 근엄하게 목소리를 높이자 소정방이 복명했다.

"폐하, 삼한의 한 축을 멸했는데 고구려라고 별수 있겠사옵니까? 심려 마옵소서."

"대총관이 그리 말하지만 고구려는 중원의 역사로 보아도 만만치 않소."

"신라가 폐하의 든든한 군량 창고가 되었사옵니다. 이를 잘만 이용하면 고구려 정벌은 식은 죽 먹기이옵니다."

"짐의 군량 창고라…. 하하하."

이치는 이세민의 막내아들로 태어나 황제의 재목으로 꿈도 꾸지 못했다. 결국 태자 승건과 위왕 태가 죄를 지어 폐위되자 외숙 장손무기의 뒷배로 보위에 올랐다.

이치는 이세민이 우려했던 것과는 달리 외숙 장손무기와 이세적 저수량 방현령의 보좌로 내치를 굳건히 하고, 눈엣가시 같은 고구려를 멸하기 위한 첫 조치로 백제를 정벌했다. 대승상 이세적이 이치의 눈빛을 살피면서 말했다.

"대총관이 멸한 나라가 돌궐에 이어 또 하나 추가되었소. 대총관은 대당제국의 기둥이 되었소."

"소장이 대당제국의 창업공신이신 대승상의 공과 비교가 되겠습니까? 말씀을 거두어주십시오."

"당치 않소. 창업공신이라니 나는 그럴 만한 위인이 못 되오."

이세적은 이세민을 도와 중원을 통일하는 데 일조했다. 요동성을 함락해 백전노장의 기개를 보여주었고, 이치가 아버지의 후궁인 무소의(武昭儀)를 황후로 봉하고 싶은 뜻을 은연중 내비쳤을 때, 황제의 집안일이라고 한발 물러섰다.

이치가 포로로 끌려온 망국군주 의자의 행색을 유심히 살펴보니 김인문의 말이 생각났다. 의자가 백성들의 딸을 겁탈하고 재물을 수탈해 태자궁을 아방궁처럼 지었다고, 출병의 타당성을 귀에 딱지가 앉도록 설득했다. 그런데 의자의 행색이 얼마나 모욕적인 대우를 받았는지 낙양성의 상거지만도 못했다. 일국의 군주였던 자를 모질게 다룬 소정방을 질책했다.

"대총관, 의자가 비록 죄인이지만 그래도 일국의 군주였던 자가 아닌가? 너무 심하게 다룬 것 같도다."

"폐하, 의자를 압송해오는 동안 선상에서 많은 자살 소동이 일어났나이다. 이를 방지하고자 좀 엄히 다루었을 뿐이옵니다. 통축하옵소서."

"대총관을 탓하는 것이 아니니다. 앞으로 이런 일이 있으면 유념해서 처리하라는 짐의 뜻이다."

"망극하옵니다. 폐하."

이치는 소정방이 한발 물러서자 군신들의 기강을 잡으려는 듯이 의자에게 호통을 쳤다.

"네 이놈 의자야, 짐을 거역한 죄가 오늘에 이르렀다. 할 말이 있느냐?"

"소신 의자, 황제 폐하의 황은을 입고도 불충불의한 죄가 태산보다 높고 장강의 물길보다도 길다는 것을 이제야 깨달았나이다. 삼한의 분란 거리가 소신으로 인해 일어났으니 어찌 얼굴을 들겠나이까? 소신을 참하고 신하들을 용서해주옵소서, 폐하."

사택천복도 복명했다.

"아니옵니다. 폐하, 소신이 군주를 잘못 모신 죄가 바다보다도 넓고 깊사옵니다. 이런 신하가 나라의 곡식만 축내는 식충 노릇만 해, 나라를 망국으로 가게 했사옵니다. 불충한 신하를 죽여 치세의 근본으로 삼으시옵소서."

망국군주의 늙은 신하가 죄를 대신 청했다. 이세적은 불쾌했다.

"어느 안전이라고 요사스러운 언사로 황제 폐하의 성총을 흐리게 하려 하느냐? 괘씸하다."

"대승상은 너무 탓하지 마라. 군주를 위하는 마음이 정말 기특하구나. 알겠노라. 사택천복이라고 했던가? 과연 그대는 망국군주의 충신이로다."

왜국 사신 이로시 하야히로(伊吉速博德)은 자신의 눈과 귀를 의심했다. 십여 년 전 사신으로 사비성에 갔을 때, 의자는 용맹과 강건함이 용안에 넘쳐흘렀는데 낙양성의 의자는 죄인의 신분이었다. 초췌한 죄수복에 나막신을 신는 둥 마는 둥 하면서 밧줄에 질질 끌려온 의자를, 더 이상 눈 뜨고 볼 수 없어 시선을 돌리자 이치가 겁박했다.

"짐이 그대를 입조케 한 이유는 설명하지 않아도 잘 알 것이다. 왜국에 돌아가거든 그대의 왕에게 분명히 전하라. 짐을 받들지 않으면 의자처럼 죄를 묻겠다고…."

이로시 하야히로의 온몸에 소름이 돋았다. 이치의 말을 거역하면 왜국을 정벌하겠다는 뜻이 내포되어 있었다. 이치의 시선이 다시 의자에게 옮겨갔다. 그런데 예상 밖이었다.

"그대의 죄는 태산보다 높고 장강의 물길보다 길지만, 그대가 진실로 반성하면서 조신(操身)하는 모습이 짐의 성심을 자극하고 사택천복의 충성스런 기개가 짐을 감동시켰노라. 하늘의 뜻을 받들어 짐은 그대의 죄를 용서해주고 공후(公侯)에 버금가는 저택과 노비를 하사하고 짐을 보필토록 하겠노라. 그대의 신하에게도 합당한 거처를 하사해 짐의 덕화가 만방에 이르게 하겠노라."

군신들과 외국 사절은 이치의 파격적인 처분에 어안이 벙벙했다. 하지만 의자는 이치의 처분에 감격했다.

"황은이 망극하옵니다. 폐하."

"그대는 이제 짐의 신하가 되었도다. 충심을 다해 짐을 보필하라."

소정방은 백제를 정벌한 공이 수포로 돌아간 것처럼 이치의 처분이 마음에 들지 않았다.

"폐하, 죄인에게 공후에 버금가는 저택을 하사하는 것은 너무 과하신 것 같사옵니다."

"대총관의 마음은 알고 있으나 군주는 창검으로만 백성을 다스릴 수 없다. 짐은 흉노와 고구려까지도 덕화로 다스릴 수 있으면 다스릴 것이다. 의자가 진심으로 죄를 뉘우치고 있는 것 같다. 그대는 더 이상 말하지 마라."

"알겠사옵니다. 폐하."

소정방이 하례를 하고 물러섰다. 흉노 왕과 왜국 사신도 이치의 처분에 감복했다는 듯이 고개를 숙였다.

의자는 만 리 타국에 끌려와 참수될 줄 알았는데 죄인의 신분이 아니라 봉후에 걸맞은 집과 노비를 하사 받았다.

의자는 이렇게 한고비를 넘겼는데 다시 문제가 생겼다. 물길 여독과 목에 난 상처로 인해 시름시름 앓기 시작하니 사택천복을 비롯한 신하들은 의자의 용체를 걱정했다. 만 리 타국이라 어의는 고사하고 약 한 첩 제대로 쓸 수 없는 처지로 발만 동동 굴렀다.

새벽부터 혼수상태였던 의자가 저녁이 되어서야 깨어나 자신의 몸을 주무르고 있는 은고를 발견했다. 그 아름답던 은고의 모습이 어디로 갔는지 보이지 않고 늙은 부인만이 눈앞에 아른거렸다.

"미안하오. 이역만리까지 끌려와 고초를 당하니 짐의 마음이 미어지는 것 같소."

"아니옵니다. 신첩이 폐하를 잘못 보필해 나라를 망국으로 가게 하였나이다. 이 죄를 다 어떻게 갚을지 제 자신이 원망스럽나이다."

"그게 무슨 말씀이오? 나라를 망친 죄는 다 짐에게 있소, 짐의 병은 이제 골수까지 미쳤소. 짐을 걱정 마시고 손이나 이리 주시오. 왕후의 손을 한번 잡아보고 싶소."

의자는 은고의 손을 잡고 지난날의 기억을 더듬듯이 눈을 지그시 감았다. 섬섬옥수처럼 가냘프던 은고의 손이 이제 가죽만 남았다.

"왕후를 만난 지난 세월이 즐거웠소. 비록 선왕에게 천추에 남을 죄를 졌으나 왕후의 품안에서 눈을 감을 수 있는 복을 받았소. 그나마 하늘이 짐을 용서해 주신 것 아니겠소."

"그게 무슨 말씀이셔요? 오랑캐 땅에 신첩만 남겨두고 가신다니…."

은고는 설움이 복받쳤다. 김춘추로부터 심한 모욕을 당하고 아끼던 신하로부터 배신당해 나라를 송두리째 소정방에게 바쳤다. 성심이 갈기갈기 찢어져 걸레가 되었고, 육신은 뼛골까지 썩어 몸을 지탱할 수 없는 형국에 더 무슨 말을 하랴! 의자는 마지막을 준비했다.

"짐은 이제 이승의 인연을 정리할 때가 되었소. 짐이 죽거든 태자를 의지하고 사십시오."

"신첩도 같이 가렵니다. 폐하가 안 계신 세상 무슨 낯으로 살겠습니까?"

"황후가 그러시면 짐이 어찌 저승으로 떠나겠소. 마지막으로 태자와 대좌평을 불러주오. 죽기 전에 당부할 말이 있소."

"폐하, 조금만 기다리시면…."

은고가 눈물바람으로 나갔다. 낙양성은 겨울에 접어든 것을 증명하듯 날씨가 제법 쌀쌀했다. 의자가 들어오기 전에 사람이 살지 않았는지 처마 끝의 기와가 볼품없이 깨져있고 집안을 밝히는 등불마저도 꺼질 듯이 졸고 있었다. 의자가 혼수상태에 이르렀다가 다시 눈을 뜨니 륭과 사택천복이 희미하게 보였다.

"륭아, 아비가 마지막으로 하고 싶은 말은 너의 어미를 잘 부탁한다. 후계를 세우는 일은 복신에게 밀지를 내렸다. 왕자들 모두 당나라에 잡혀 와 있어 별수 없이 왜국에 있는 풍으로 하여금 대통을 잇게 했다. 너무 섭섭하게 생각하지 마라. 그리고 융의 모습이 눈에 선하구나. 기회가 되면 돌봐주어라."

"아바마마. 명심하겠사옵니다."

의자가 사택천복의 손을 살며시 잡았다.

"그대와 짐은 군신이기보다 벗이 아니었소? 짐이 어릴 적에 어머니를 여의고 제일 많이 의지하였던 사람이 그대였소. 그대의 충절에 짐은 많은 빚을 지었소. 저승에서 그대를 만나면 군신으로 보다 벗으로 만나고 싶소. 벗이여, 염치없지만 태자와 왕후를 부탁하오. 짐의 머리카락을 보관하고 있다가 고국에 가는 길이 있으면 백강에 뿌려주오."

"백강에 폐하의 머리카락을 뿌려 나라가 다시 서는 것을 보여드리겠나이다."

사택천복은 의자의 유지에 흐느꼈다. 의자는 저승으로 가는 길이 힘겨운지 숨을 몰아쉬었다.

"잘들 있어라…."

"아바마마, 불효를 용서하옵소서."

의자는 나라를 빼앗긴 원통함과 치욕적인 굴욕을 한(限)으로 남긴 채, 굴곡의 삶을 마감했다. 매서운 칼바람이 의자의 저승길, 길동무를 자청하듯이 대문을 요란스럽게 두드리면서 병든 낙엽을 꽃잎마냥 뿌렸다.

사택천복은 간직하고 있던 은장도를 꺼내 의자의 머리카락을 한 줌 잘라 비단 보자기에 모셨다. 이치가 하사한 저택에 근조등이 내걸렸다. 의자의 동태를 감시하고 있던 경비대장이 무황후의 여체를 탐색하고 있는 이치에게 부복했다.

"폐하, 망국군주 의자가 조금 전 술시를 지나 죽었나이다."

"왜 오자마자 죽었다 하더냐?"

"뱃길의 노독과 목에 난 상처가 원인이 되어 죽었사옵니다."

"짐이 죄를 용서해주었건만 삼 일도 못 넘기고 죽었구나. 그대는 형국공에 황명을 전하라. 망국군주 의자를 금자광록대부위위경(金紫光祿大夫衛尉卿)으로 추증하고 장지는 북망산 언덕의 오나라 군주 손호(孫皓)와 진(陳)나라 군주 진숙보(陳叔寶) 사이에 마련토록 하라."

"그리 전하겠사옵니다. 폐하."

이치는 의자가 좀 더 살아주길 바랐다. 자신의 치세를 만천하에 알리는 길잡이라 생각하면서 공후에 버금가는 저택과 노비를 하사했는데 사람의 운명은 황제라 해도 마음대로 조절할 수 없었다.

금자광록대부위위경의 초상집은 노비들만 분주히 움직일 뿐, 당 조정의 신료들과 문상객은 눈을 씻고 보아도 보이지 않고 찬바람만 음산하게 불어댔다. 야박한 세상인심에 만장을 만드는 신하들은 억장이 무너졌다. 륭과 사택천복이 문상객을 맞고자 이치가 보내준 상복을 입고 금자광록대부위위경의 신주를 지키기 시작하니 대문 밖에서 서성거리고 있던 노비가 급히 들어왔다.

"나리, 형국공 대인께서 오셨습니다. 어찌 할까요?"

"지체 말고 빨리 모셔라."

륭과 사택천복이 자리를 떨고 일어났다. 원수 중의 원수지만 고인의 명복을 빌기 위해서 온 문상객이고, 이치에게 신임받는 중신 중 중신이라 륭과 사택천복은 소정방을 반갑게 맞을 수밖에 없었다.

소정방은 고 금자광록대부위위경 의자신위(故 金紫光祿大夫衛尉卿 義慈 神位)라고 쓴 신주 앞에 두 번 절했다. 그러나 자신으로 인해 불귀의 객이 되었다고 생각하니 마음은 편치 않았다. 잔바람에 나풀거리는 만장이 소정방을 원망하는 것 같았다. 하지만 소정방은 산전수전 다 겪은 백전노장이었다. 불편한 마음을 내색하지 않고 상주인 륭을 위로했다

"내 생각하는 바가 있어 조문 오기가 껄끄러웠는데 고인의 신주를 보니 한순간의 기우였다는 것을 알았소. 고인이 나로 인해 고초를 겪었지만 내 본의가 아니었다는 것만 알아주시오."

"나라가 망한 것도. 아버님이 고초를 겪으신 것도 다 하늘의 뜻이지 대인의 탓이 아니옵니다. 그런 말씀은 마음에 담지 마십시오. 형국공 대인."

"상주의 생각이 거기까지 미친다면 내가 더 무슨 말을 하겠소. 그리고 상주. 폐하께서 북망산에 고인의 장지를 준비하라 명하셨소. 삼국시대 오의 군주 손호와 남북조시대 진의 군주 진숙보가 잠들어 있는 유택이 장지 바로 옆에 있소. 낙양성에도 다섯 손가락 안에 드는 명당자리요."

"구천에 계신 소인의 아버님도 유택을 마련해 주신 황은에 감격하실 것입니다."

사택천복은 기가 막혔다. 그곳은 명당자리가 아니라 주색에 곯아 나라를 망친 망국군주들이 묻힌 자리가 아닌가. 더구나 소정방에게 매달리듯 아첨하는 륭의 모습에 사택천복은 비위가 상했다. 일국의 태자였던 자가 간사한 세 치 혀를 내두르니 사직의 앞날이 보이지 않았다. 소정방은 사택천복의 마음을 짐작했는지 계면쩍은 표정을 지으면서 일어났다.

"이제 물러가겠소. 상주는 고인을 장지에 잘 모십시오."

소정방이 빈전(殯殿)을 나가자 사택천복이 신주를 바라보면서 통곡했다.

"폐하, 백제의 앞날을 힘없는 늙은이에게 부탁하시니 어찌하라 하신지 모르겠나이다."

하지만 시간은 돌이킬 수 없는 자연의 섭리, 의자가 죽은 지 삼 일만에 의자의 유해가 북망산으로 떠났다. 일국의 군주라면 수백 개의 만장이 펄럭이고 신하들과 백성들이 따라가면서 호곡

하겠지만, 망국군주 가는 길은 대여섯 개의 만장과 옛 신하들만이 겨울바람을 등에 지고 따라갔다. 의자의 원혼이 가는 길에 먹장구름이 몰려오더니 하얀 눈꽃송이로 변해 내리기 시작했다.

"이제 가시면 언제 오시나, 어이어이."

상두꾼의 상두 소리를 들으면서 북망산으로 가는 상여가 눈을 맞아 하얀 꽃상여로 변했다.

661년 정월에 접어들자 선대왕이 당 황제에게 무릎을 꿇은 지 3일 만에 승하했다는 비보가 백강의 물길을 타고 임존성에 들어왔다.

복신은 선대왕이 잠든 북망산을 향해 제단을 만들고 백성들이 정성스럽게 준비한 제물을 올려놓았다. 고마미지현에서 행방불명이 되었던 흥수를 비롯해, 두량윤성에서 거병한 정무(正武)와 웅산성주 정진(正珍)이 참석했다.

복신이 상주를 맡고 태자의 아들 문사가 제주(祭酒)를 올렸다. 제단에 세운 만장이 선대왕의 한 맺힌 혼백을 위로하는 것처럼 하늘을 보고 울었다. 한 마디로 제단에 모인 사람들 모두가 상주였고 제주(祭酒)를 올리길 원했다.

복신은 북망산에 떠도는 선대왕의 혼백을 모시기 위해 제문을 읽기 시작했다.

"삼한의 신령이여, 7백년을 이어온 사직이 한순간에 끊어지고 선대왕이 오랑캐 땅에서 승하하시다니 이런 참담한 일이 어디 있겠나이까? 이제 불민한 신하 복신이 거병한 장수들과 더불어 끊어진 물길을 다시 이을 것이옵니다. 구천에 떠돌고 있는 선대왕이시여, 실의에 빠진 백성들을 위무하옵소서."

복신의 눈가에 눈물이 고였다. 선대왕이 승하하실 적에 유조를 받지 못 했지만 제단을 만들고 사배를 올리니 거세게 불던 북풍도 숨소리를 죽였다. 복신이 투박한 손으로 눈가에 고인 눈물을 닦으면서 거병한 장수들에게 말했다.

"나라를 다시 세울 반가운 소식이 들어오고 있소. 풍 왕자의 귀국과 왜국의 지원군이 조만간 이루어질 것 같소. 왜국에 사신으로 갔던 귀지공이 돌아와 소식을 전했소. 이제 사비성에 숨어있는 나당군을 몰아낼 일만 남았소."

두량윤성 정무가 복신의 말을 받았다.

"나라가 망하고 난 뒤 백제군을 이끌 수장이 없소. 복신 장군이 풍 왕자가 귀국하는 날까지 백제군의 수장을 맡아주십시오."

나라가 망한 후 산발적으로 나당군과 싸우다 보니 전략의 부재와 시행착오가 많았다. 김춘추에게 당한 이례성과 청마산성이 대표적인 사례로 구심점이 없는 백제군은 패배할 수밖에 없었다.

"소장은 그럴 만한 재목이 못 됩니다. 전략가이신 흥수 좌평이 맡아야 합니다. 좌평께서는 소장의 청을 거절하지 말아주십시오."

복신은 홍수에게 수장을 권했다. 주인이 없는 나라에 고슴도치처럼 거병한 장수들을 지휘한다는 것이 보통 쉬운 일이 아니었다. 말석에서 홍수의 눈빛을 살피고 있던 덕집득이 입을 열었다.

"좌평이 수장이 된다면 나당군이 오금을 펴지 못하고 스스로 자멸할 것입니다. 소인도 좌평을 추천합니다."

홍수는 복신 보기가 민망했다. 복신은 선대왕의 동생이고 나당군과 전투를 수없이 해왔다. 자신이 전략에 밝다고는 하나 나당군의 전투력을 한 번도 경험하지 못했다. 전쟁 중 한 것이라곤 진언서와 함거에 갇힌 지수신과 율을 구한 것이 전부였다. 홍수가 덕집득을 꾸짖었다.

"그게 무슨 소린가? 그대가 나설 자리가 아니다. 그리고 내가 좌평이라고 하나 아직 죄인의 몸이고 복신 장군은 왕실의 피를 받았다. 어려운 난국을 헤쳐나갈 사람은 복신 장군밖에 없다."

정진도 홍수의 말에 동조했다.

"좌평의 말씀이 맞소. 임존성의 성주이신 복신 장군처럼 나당군의 전력을 잘 아는 장수는 없소. 소장도 복신 장군이 맡아야 한다고 생각하오."

"숙부님답지 않게 왜 망설이셔요, 한시가 급한데…."

율까지 들고 일어나자 복신은 더 이상 이들의 기대를 저버릴 수가 없었다.

"막중한 사명을 감당할지 모르지만 풍 왕자가 오실 때까지 백제군을 맡겠습니다. 미력한 소장을 도와주십시오."

홍수의 얼굴색이 밝아졌다.

"이제야 꺼진 불씨가 다시 살아난 것 같소. 정말 고맙소."

성격이 급한 도침이 자리에서 벌떡 일어났다.

"우리 군세가 전보다 못하나 사비성에 숨어있는 나당군 정도는 거뜬히 몰아낼 수 있소. 군령을 내려주십시오. 성주님."

지수신도 마음이 급했다.

"소정방이 평양성의 공략에 심혈을 기울이고 있을 이때가 적기입니다. 이때를 놓치지 마십시오."

지수신의 말처럼 당군 10만이 소정방을 대총관으로 삼아 평양성으로 떠났다. 그리고 김춘추에게 군량을 요청했다. 당나라와 신라는 긴박하게 돌아가는 정세에 사비성과 웅진성을 돌아볼 여유가 없었다. 복신이 군령을 내렸다.

"하늘이 준 천금의 기회를 버리면 구천에 계신 선대왕이 노할 것이오. 도침선사와 흑치상지 장군은 청산성(青山城)으로 출병해 사비성의 보급로를 끊으시오."

청산성은 부소산성의 닭울음소리도 들릴 정도로 가깝게 위치한 사비성의 동쪽을 방어하는 나성이었다. 비록 작은 산성이지만 신라군을 방어하는 최일선의 수문장과 같은 산성이었다. 도침은 이번 기회에 승려로서가 아니라, 무장으로서 자신의 용력을 시험해보고 싶었다.

"흑치상지 장군, 우리가 출병하면 사비성의 나당군이 하루도 못 버티고 기어 나올 것 같소."

흑치상지의 얼굴색도 밝아졌다. 목석처럼 율을 지켜보는 것도 지겹고 자존심도 허락하지 않았다.

"걱정 마십시오. 선사님을 도와 사비성을 탈환하겠습니다."

"두 분이 가신다면 사비성의 탈환은 시간문제인 것 같소. 다시 한번 건투를 빌겠소."

복신이 도침과 흑치상지의 손을 잡고 결의를 다지자 제단에 모인 장수들도 허연 김을 내뿜으면서 맹세했다.

"선대왕의 원수를 갚자. 나당군을 몰아내자."

장수들의 뜨거운 열기에 백성들은 눈물을 흘렸다. 마치 선대왕이 살아 돌아온 듯했다. 정오에 시작했던 선대왕의 제사가 석양이 봉수산 마루에 걸리면서 끝이 났다.

무거운 짐을 벗은 홍수는 대련사로 발길을 옮기기 시작했다. 하지만 선이 마음에 걸렸다. 지수신을 남자로 보는 것 같았다. 홍수의 답답한 마음을 위로하듯이 하늘에서 하얀 눈이 내리기 시작했다.

14장 / 두량윤성

만물이 소생한다는 경칩(驚蟄)이 소리 없이 다가왔다. 보리밭에서 보리 싹들이 경쟁하듯 기지개를 켜고 얼굴을 내밀었다. 백성들이 악귀를 쫓는다고 흙벽을 바르거나 무너진 담을 고쳤다. 또한 빈대가 심한 집은 집안 곳곳에 재를 뿌렸다. 이런 봄기운과는 달리 서라벌궁의 분위기는 고요했다.

김춘추는 불혹까지는 몰랐는데 지천명이 되면서 아랫배가 불룩 나왔다. 한 끼에 꿩고기를 열 마리 이상 먹는 대식가였다. 김춘추의 비만을 보고 문희왕후와 후비들이 육식을 줄이고 싱싱한 채소와 등 푸른 생선을 권했다. 김춘추는 이들의 주청을 물리치고 입이 가는 대로 먹었다. 지난밤에도 숨이 가빠 침전 바닥을 기었다. 눈도 침침하니 보이는 것은 안개에 쌓인 듯이 희멀겋게 보였다. 그렇다고 정사를 팽개치고 있을 수 없었다.

날이 새자마자 어전회의를 열었다.

"가짜 중 도침이 청산성의 전투에서 당군 1천을 몰살시켰다는 비보가 들어왔소. 이로 인해 사비성이 고립되었소. 경들의 생각을 듣고 싶소."

김춘추는 소정방이 의자를 비롯한 왕족들을 모조리 잡아가면 백제 정벌이 끝인 줄 알았다. 그런데 당군이 철군하고 난 뒤부터가 더 문제였다. 잔적을 따라 다니면서 막기가 바쁘고 김유신이 떠난 군세는 날이 갈수록 무기력해졌다. 마음도 괴롭고 몸도 전처럼 말을 듣지 않았다. 병부령으로 승차한 이찬 김품일이 부복했다.

"폐하, 소신이 미력하지만 잔적들을 소탕하겠사옵니다. 너무 심려 마옵소서."

김품일은 김유신이 떠난 빈자리를 메꾸면서 많은 전공을 세웠다. 김춘추가 생각하니 사위인 김품석이 살아 돌아온 듯했다.

"병부령의 전략을 들어봅시다. 말씀하시오."

"소신이 사비성의 길목을 막고 있는 두량윤성을 공략하겠습니다. 선봉장으로는 그곳 지세를 잘 알고 있는 아찬 충상을 삼겠사옵니다. 그리고 유인원이 청산성의 공략을 다시 준비하고 있으니 이제 잔적들의 준동도 끝날 것이옵니다."

충상은 김춘추가 의심스러운 눈길로 바라보자 내심 불안했다.

"폐하, 두량윤성의 정무는 지략이 많고 용병술이 출중합니다. 하나 소신이 회유하면 항복을 받을 수 있사옵니다. 소신도 전장에 나갈 기회를 주옵소서."

김흠순도 힘을 보탰다.

"아찬 충상은 예식진을 회유한 장수로 다시 한번 공을 세울 기회를 주시옵소서."

김문영도 황산벌에서 고전했던 순간들이 머릿속에 떠올랐다.

"충상을 중히 쓰시옵소서. 우리 군이 계백에게 고전할 때 황령산성을 통째로 바친 장수이옵니다."

중신들의 주청에 김춘추의 용안이 밝아졌지만 기력이 쇠약해져 말하기도 힘들었다. 김법민이 눈물로 간청했다.

"아바마마, 옥체가 상할까 두렵사옵니다. 모든 정사는 뒤로 미루고 성심을 바로 하옵소서."

"짐은 곧 회복될 것이다. 염려스러운 것은 잔적이다. 병부령의 주청대로 아찬 충상을 선봉장으로 삼겠다. 병부령은 잔적들을 모조리 토벌해 짐의 무거운 마음을 덜게 하라."

"명을 받들겠사옵니다. 폐하."

토벌군의 편성은 김품일의 뜻대로 이루어졌다. 김품일이 대당장군(大幢將軍)으로 토벌군을 지휘하고 아찬 충상을 선봉장, 잡찬 문왕(文王)을 부장으로 삼았다.

신라군 3만이 두량윤성으로 출병했다는 반갑지 않은 첩보가 임존성에 들어왔다. 두량윤성은 임존성과 더불어 사비성의 북방을 지키는 도성방위의 최일선이었다. 복신이 흥수의 눈빛을 살피면서 물었다.

"김품일이 두량윤성으로 출병했소. 정무 장군의 용병술이 뛰어나지만 칠순이 다되신 노장이오. 좌평, 어찌하면 좋겠습니까?"

흥수는 망설이지 않고 승낙했다.

"임존성에서 밥만 죽이고 있는데 마침 잘되었습니다. 지수신을 데리고 출병하겠습니다."

"좌평께서 가신다면야 소장이 무슨 걱정이 있겠소."

복신은 무거운 마음을 내려놓았다. 흥수만 나서준다면야 김품

일 정도는 문제없을 것 같았다. 말석에서 눈치를 보던 덕집득도 복신에게 매달렸다

"이번 전쟁에 소인도 포함시켜주십시오. 성주님."

"현령도 임존성만 지킬 수 없잖아요. 저도 가겠어요. 숙부님이 알고 계시는 것처럼 김품일에게는 한이 많아요."

덕집득에 이어 율까지 고집하자 복신은 난감했다.

"공주님의 성정을 말려주십시오. 전장을 안마당처럼 생각하고 있어 머리가 아파 죽겠소. 좌평께서 알아서 처리하십시오."

흥수가 복신의 마음을 알아챘다.

"김품일에게 빚까지 졌으니 당연히 갚아야지 않겠습니까? 현령도 고마미지현에서 왔고…."

"소장이 미처 그걸 생각 못 했습니다. 하하하."

두량윤성의 출병이 정해지자 이들은 곧바로 병사를 선발하고 군마에게 질 좋은 풀을 먹었다. 백성들의 아낙들이 주먹밥과 육포를 준비해 병사들의 행낭에 챙겨주었다.

백제군 5천이 임존성을 나오자 덕집득은 연신 싱글벙글했다. 말단 현령이란 꼬리표를 떼버리고 싶은 욕망이 가슴속에서 꿈틀거렸다. 덕집득의 천진난만한 표정에 율이 미소를 지었다.

"출전이 그리도 좋으십니까?"

"이제야 살맛이 나옵니다. 병졸로 전장을 누볐던 옛날 생각이

절로 납니다."

"이번도 그때처럼 공을 세워 나라의 기둥이 되어주십시오."

"소인이 기둥까지야 바랄 수 있겠습니까? 기둥은 지수신 장군이시죠."

율과 덕집득이 신명 나게 떠들고 있으나 지수신은 관심이 없었다. 검일의 최후만 생각났다. 김품일이 검일을 물고기 밥으로 만들었듯이, 김품일을 물고기 밥으로 만들어 검일의 복수를 하고 싶었다.

지수신이 검일의 혼령을 부르듯 하늘을 바라보니 새벽안개가 사라지고 태양이 속살을 드러냈다. 율은 행군 내내, 침묵만 지키는 지수신의 속내가 궁금했다.

"사형, 두량윤성을 가려면 고사비산(두량윤성 인근으로 추측)을 지나야하는데 말 한마디 안하고 무슨 생각하고 있어요."

"생각은 무슨, 그리고 이런 행군 속도로 가면 한 시각 정도면 당도할 것입니다. 하나 도처에 신라군이 숨어있으니 매사 조심해야 합니다."

"저보다 사형이 더 걱정이 되어요. 그러니 사형 걱정이나 하십시오."

율이 답답한 마음을 토로하고 있는데 척후를 나갔던 병사가 돌아왔다.

"고사비산 기슭에 신라군의 선발대가 군영을 구축하려고 자리를 물색하고 있습니다."

병사의 보고에 흥수가 되물었다.

"대장은 누구냐?"

"황산벌에서 항복한 충상입니다."

"충상 그놈이? 그래 병력은 얼마나 되더냐?"

"정확한 숫자는 알 수 없지만 3천은 될 것 같습니다."

"이놈들을 모두 몰살하고 두량윤성으로 들어가겠다. 겁도 없이 충상이 제 발로 기어왔구나."

지수신이 자원했다.

"스승님, 제가 충상을 잡겠습니다. 허락해주십시오."

지수신의 장담에도 율은 걱정이 앞섰다.

"정무 장군과 연합해 신라군을 무찌르는 것이 낫지 않겠어요, 스승님?"

"적이 눈앞에 있는데 정무와 연합하라니 그럴 순 없다. 지수신과 덕집득은 명을 받아라."

"군령을 내려주십시오. 스승님."

"자네는 신라군이 군영을 설치하기 전에 모두 참살하라. 덕집득은 신라군의 군마를 뺏어라. 족히 백여 필은 될 것 같다."

지수신이 선봉에 섰다. 덕집득도 군령을 받았다. 백병전은 아니지만 군마를 뺏어 신라군의 발목을 잡는 것만은 자신이 있었다. 이들은 숨을 죽여가면서 고사비산 기슭으로 다가갔다.

병사의 보고대로 신라군이 목책을 세우기 위해 소나무를 자르고 군마들이 평화롭게 풀을 뜯고 있었다. 능선 곳곳에 초병이 서 있지만, 잔적쯤은 해장거리라 생각이 들었는지 충상은 풀밭에 누워 낮잠을 자고 있었다. 흥수의 몸이 후끈 달아올랐다.

"저 만고의 역적 충상을 잡아라. 한 놈도 살려주지 마라."

백제군의 함성 소리가 고산비산을 뒤덮었다.

"와와… 쉬익…."

충상도 무장이었다. 낮잠에서 깨어나 백제군을 지휘하는 장수를 바라보니 꿈에도 생각하지 않던 흥수였다.

"흥수가 사비성에 나타났다더니 사실이었구나. 그리고 저 연놈은 율과 지수신이 아닌가? 계림의 병사들아, 흥수와 연놈을 잡아라."

흥수가 사자후를 토하듯이 되받아쳤다.

"나라를 팔아 벼슬한다는 것이 고작 아찬이냐? 선대왕이 네놈을 좌평으로 삼아 나라의 근간으로 삼으려고 했거늘, 김춘추의 사냥개가 되어 돌아왔구나. 더러운 놈."

충상도 지지 않았다.

"김문영이 못 끊은 네놈의 숨통을 내가 끊어 주마. 으흐흐."

지수신이 검을 빼들었다.

"역적인 주제에 스승님을 욕보여? 네놈의 숨통을 끊겠다."

"어린 나이에 친위군장 자리에 올라 큰소리치더니 이제 잔적의 두목이 되었구나?"

지수신의 검과 충상의 검이 부딪쳤다. 충상의 부장도 율을 공격했으나 율의 상대가 아니었다. 한두 합을 싸워본 부장이 산 능선으로 도망치기 시작했다.

"저런 놈이 부장이라니, 목을 놓고 가라."

전세가 백제군으로 기울고 들풀은 핏빛으로 물들었다. 흥수가 덕집득에게 명령을 내렸다.

"지금이 천금의 기회다. 빨리 놈들의 군마를 뺏어라."

"군마 정도는 걱정 마십시오."

덕집득에게 공명을 세울 천금의 기회가 찾아왔다. 고마미지현에서 무사들과 싸우던 그때의 우스꽝스러운 모습은 모두 사라졌다. 마치 초원의 목동처럼 군마를 몰았다. 지수신도 덕집득의 달라진 모습을 보니 승리가 눈앞에 온 것 같았다.

충상은 군마를 탈취해 가는 덕집득의 신들린 모습에 정신이 번쩍 들었다. 또한 피토하고 죽은 병사들의 시체를 보니 눈앞이 캄캄했다. 충상이 도망치려 하자 율이 가로막았다.

"왕실의 피를 가진 놈이 나라를 배반한 것도 모자라 원수의 앞잡이가 되어 왔구나."

"선대왕이 정사를 잘 보았으면 내가 왜 항복하겠소? 아무리 공주가 발버둥을 친들 신라를 이길 수 없소."

"추잡한 놈이 추잡한 말만 내뱉는구나? 죽어라, 이놈."

충상은 왕실의 먼 친척이었다. 권력에서 멀어진 충상은 속이

끊었다. 황산벌의 주장도 한 계급 낮은 계백에게 빼앗겼다. 김유신에게 황령산성을 통째로 바쳤지만 신라 조정에서 항복한 장수가 숨 쉴 공간은 별로 없었다.

김품일의 추천으로 어렵게 선봉을 맡았는데 상황이 이상하게 꼬였다. 충상은 뒤돌아보지 않고 달렸다. 율에게 잡혀 오뉴월 개 패듯이 맞아 죽을 것만 같았다. 온몸에 소름이 돋고 식은땀이 강을 이루는데 부장이 말 한 필을 끌고 나타났다.

"장군님, 어서 타십시오."

"내 오늘 일을 잊지 않으마."

충상이 탄 말이 능선 아래로 미끄러지듯 달리기 시작하자 율이 재빠르게 단검을 던졌다.

"단검으로 나를? 내가 대군을 몰고 올 것이다. 그때 잡히지나 마라."

"도망치는 주제에 대군을, 그래 몰고 와라. 버러지 같은 놈아."

한 줄기의 소낙비처럼 승패가 일순간에 끝나니 병사들의 사기가 하늘을 찔렀다. 더구나 덕집득이 군마 탈취를 한 치 오차도 없이 해냈다. 오늘의 수훈갑은 단연 덕집득이었다. 흥수가 의심스런 눈빛으로 물었다.

"말 모는 솜씨가 신기에 가까우니 어찌 된 일인가?"

"소인의 집안은 말을 키우는 것을 생업으로 살았습니다. 말의 숨소리만 들어도 말의 생각을 알 수 있습니다."

"그런 이유가 있었군, 정말 수고했다."

덕집득은 흥수의 위로에 얼굴을 붉혔다. 공명이 눈앞에 선듯했다. 지수신이 흥수에게 불만을 토로했다.

"도망친 충상의 뒤를 쫓아야 합니다. 이번에 놓치면 영영 잡을 수 없으니 제가 충상을…."

흥수의 얼굴색이 급변했다.

"김품일의 대군이 곧 이곳에 당도할 것이다. 더 이상 지체할 시간이 없다. 놈들이 남기고 간 병장기를 챙겨 두량윤성으로 들어가자."

흥수의 명령에 지수신이 전리품으로 시선을 돌렸다. 나라가 멸망하고 난 뒤 병사들이 싸울 수 있는 병장기는 열악했다. 몽둥이와 부엌에서 쓰는 식칼로 싸우는 형편인데 백여 필 군마와 병장기를 노획했다. 흥수의 백제군이 전리품을 가지고 두량윤성에 들어가니 정무가 반갑게 맞았다.

"좌평, 어쩐 일이오? 임존성에 계셔야 할 분이 두량윤성에 나타나 신라군을 단숨에 때려잡다니 장하시오."

"전쟁은 이제 시작입니다. 작은 승리에 취해 있을 시간이 없습니다."

"그렇지만 좌평, 전리품으로 노획한 병장기와 군마를 보십시오, 신라군 3만이 일거에 몰려온다 해도 무서울 것이 없을 것 같소."

정무는 권신 반열인 좌평이었지만 한 번도 자신을 내세우지 않았다. 은솔인 복신에게 백제군의 수장 자리도 미련 없이 내던졌다. 율은 정무의 눈에서 부왕의 눈빛을 읽었다.

"정무 장군님, 죄송해요. 쉬실 나이신데 창검을 들게 해서…."

"어인 말씀을, 이 나라도 이 목숨도 다 선대왕의 것이니 검을 물고 죽은 들 무슨 여한이 있겠습니까?"

"장군님의 그 마음, 가슴 깊이 간직하겠어요."

"공주님의 마음은 소장이 잘 알고 있습니다. 하니 너무 걱정 마시고 오늘은 편히 쉬십시오."

정무의 따듯한 말에 율은 마음이 울컥했다. 그리고 두량윤성의 병사들과 백성들이 정무를 부모 대하듯 대하는 모습을 보니, 이런 병사와 백성들이 있는 한 두량윤성의 수성은 어렵지 않을 것만 같았다.

두량윤성은 누에고치 모양의 타원형으로, 계봉산의 능선을 따라 외성과 내성으로 연결되어 있었다. 성곽은 석축으로 쌓아져 견고했다. 한마디로 좁은 산성이지만 계봉산 기슭에서 두량윤성까지 오려면 습지와 능선의 지형지물을 지나야만 했다. 태양이 계봉산 마루에 얼굴을 내밀자, 정무가 흥수에게 신라군을 물리칠 방책을 물었다.

"김품일이 계봉산의 남쪽평야에 진을 구축했소. 지난번 패배를 만회하고자 두량윤성으로 몰려올 것인데 어찌하면 좋겠소."

홍수는 빙긋이 웃으면서 말했다.

"두량윤성은 생각처럼 좁은 산성이 아닙니다. 보십시오. 두량윤성을 품고 있는 계봉산 전체가 두량윤성이오. 계봉산만 잘 이용하면 신라군 3만이 아니라, 10만이 와도 무섭지 않소."

정무가 정색을 하면서 다시 물었다.

"생각해 둔 방책이 있으시오, 좌평?"

"제 생각을 물으시니 김품일을 물릴 칠 전략을 말씀드리겠소. 두량윤성의 성문, 좌우측 능선에 참호를 파고 십여 명씩 조를 짜서 은폐하면 천하의 김품일이라도 눈치를 채지 못할 것이오. 한마디로 두량윤성의 지형지물을 이용하는 것인데 한 가지 문제가 있소."

지수신이 반사적으로 물었다.

"문제가 있다니요, 스승님?"

"전략대로 준비하면 승리할 수 있는데 신라군을 성문까지 유인할 장수가 없구나. 자네와 나는 놈들에게 노출되어 있고…."

"없다니요. 덕집득이 적격입니다."

덕집득도 공을 세울 궁리를 하고 있는데 지수신의 입에서 자신의 이름이 불쑥 튀어나왔다.

"무슨 일이든 소인에게 맡겨주십시오. 목숨을 걸고 완수하겠습니다."

정무가 덕집득을 바라보았다. 소인배 같지만 눈빛만은 살아있었다.

“이번 전쟁은 좌평에게 맡기겠소. 그리고 현령을 한번 믿어봅시다.”

정무까지 부탁하자 홍수는 덕집득을 내칠 수가 없었다.

“그럼 하나만 묻겠다. 신라군을 유인할 방책을 말해보라.”

“소인에게 병사 백여 명만 주십시오. 군량을 운반하는 보급병으로 위장시켜 신라군을 성문까지 유인하겠습니다. 실패하면 참수하십시오.”

“군령을 받기 원하니 좋다. 자네의 방책대로 신라군을 유인하라.”

홍수의 군령이 떨어지자 덕집득은 군량을 운반하는 것처럼 가마니를 준비해 그 속에 잡풀을 집어넣고 말 등에 실었다. 보급병으로 위장한 병사들도 가마니를 짊어졌다.

정무와 지수신도 성문 좌우능선에 목책을 세우고 참호를 팠다. 좁은 산성에서 방어하는 것보다 지형지물을 이용해 신라군을 막고자 했다. 정무는 전쟁 준비가 끝이 나자 지수신에게 물었다.

“좌평의 전략대로 신라군이 움직여줄지 그것이 걱정이오.”

“스승님은 김유신에 못지않은 전략가입니다. 한번 믿어보십시오.”

“장군이 그렇다면 내가 무슨 말을 하겠소, 하하하.”

정무의 웃음에 화답하듯이 진달래와 철쭉이 꽃망울을 터트렸다. 계봉산이 꽃동산으로 변했지만 홍수의 마음은 가시밭이나 다름없었다. 전략을 잘못 세우면 두량윤성은 고사하고 백제군의 사기에 찬물을 끼얹는 것이니 매사 조심해야만 했다.

대당장군 김품일은 말문이 막혔다. 사비성에서 지수신과 율을 구출해 간 놈이 홍수가 아니길 마음속으로 빌고 빌었는데, 사실로 굳어졌고 선발대 3천을 고사비산 기슭에 묻었다. 선봉장 충상이 무릎을 꿇고 죄를 청했다.

"생각지도 않은 홍수가 나타나서 그만…."

"낮잠을 자면서 군영을 세우고 있었단 말이요. 그러니 홍수에게 당하지 않았겠소. 3천여 병사를 잃은 것도 모자라 병장기와 군마를 고스란히 잔적들에게 바친 걸 폐하께서 아시면, 장군의 목은 열 개라도 부족하오."

"대당장군, 홍수를 생포해 오겠으니 한 번만 더 기회를 주십시오."

"장군이나 생포 당하지 마시오. 하나 이대로는 있을 수 없소. 폐하의 명이 있을 때까지 근신하고 계시오."

"고맙습니다. 대당장군."

김품일은 홍수의 출현으로 두량윤성을 공략하지 못하고 주저앉을 것만 같았다. 하지만 김품일은 3만 대군의 총사령이었다.

흥수에게 질 수 없다는 듯이 진군명령을 내렸다,

"두량윤성을 함락시키면 천금의 상금을 주겠다. 두려워 말고 진군하라, 계림의 형제들아."

상금을 준다는 김품일의 명령에도 신라군의 꺾였던 사기는 돌아오지 않았다. 언제 어디서 잔적들이 기습공격을 해올지 마음을 놓을 수 없었다. 음산한 고사비산을 주시하면서 진군을 계속하고 있는데 앞서 나갔던 척후병이 나타났다. 대단한 것을 발견한 것처럼 목소리를 높였다.

"대당장군, 두량윤성으로 군량을 운반하는 잔적들을 발견했습니다."

"군량은 얼마나 되는 것 같으냐?"

"2만의 병사가 한 달을 족히 먹을 분량으로 수백 석이 되는 것 같았습니다."

김품일은 두량윤성을 함락할 천금의 기회가 왔다는 듯이 회심의 미소를 지으면서 명령했다.

"문왕장군은 잔적들의 군량을 탈취해라. 그 많은 군량이 두량윤성으로 들어가면 장기전이 될 수 있다."

문왕도 두량윤성의 함락이 눈앞에 온 것 같았다.

"군량 탈취쯤이야 식은 죽 먹기입니다. 대당장군."

문왕이 신라군을 몰고 두량윤성으로 진격했지만 보급병을 지휘하고 있는 덕집득은 당황하지 않았다.

"우리는 전투 병력이 아니다. 신라군을 두량윤성의 성문까지만 들키지 않게 유인하면 우리의 임무는 끝난다. 신라군이 너무 가까이와도 안 되고 우리가 먼저 가도 안 된다. 잡히지 않게 보폭을 조심해 움직여라."

"걱정 마십시오, 현령님."

위장전술을 쓰는 덕집득의 전략은 가히 일품이었다. 잡을 만하면 달아나는 덕집득의 노련한 작전에, 신라군이 정무와 지수신이 숨어있는 능선까지 따라왔다. 하지만 김품일은 덕집득의 작전을 눈치 채지 못하고 계속 몰아붙였다.

"저 능선만 넘으면 두량윤성의 성문이다. 보급병이 성문에 들어가지 못하게 모두 참살하라."

"스윙…."

신라군의 궁수들이 화살을 쏘고 보병도 군량을 뺏으려 보급병을 공격했다. 덕집득은 신라군의 공격에도 얼굴색하나 변하지 않았다.

"신라군이 유인책에 걸렸다. 후미의 병사는 신라군을 공격하라."

"네, 현령님."

덕집득의 명령에 보급병으로 위장한 병사들이 창검을 움켜잡고 신라군과 백병전을 전개했다. 성문 좌우 능선에 매복해 있던 정무와 지수신도 선대왕의 한풀이를 하는 것처럼 신라군에 호통을 치면서 뛰쳐나왔다.

"네놈들은 독 안의 쥐다. 단숨에 숨통을 끊어주마."

"으윽… 아악."

한적했던 계봉산이 양군 병사들의 비명 소리와 창검 부딪치는 굉음에 몸살을 앓기 시작하니, 붉게 타오르던 철쭉과 진달래꽃이 눈꽃처럼 떨어져 능선과 계곡을 날아다녔다. 또한 목책과 참호 속에 숨죽이고 있던 백제군이 굶주린 이리떼처럼 신라군을 물어뜯자 김품일은 눈이 뒤집혔다.

"당황하지 말고 싸워라. 놈들은 잔적에 불과하다."

문왕도 빈손으로 돌아갈 수 없다는 듯이 창을 들었다.

"전열을 흩트리지 마라. 모조리 참살해라."

"으악… 피웅."

성문 좌우 능선에서 우박처럼 날아오는 백제군의 화살에 신라군이 피를 토하면서 쓰러졌다. 승기를 잡은 지수신이 계속 몰아붙였다.

"숨 쉴 틈을 주지 마라. 김품일의 후미를 차단하라."

김품일은 신라군이 악전고투를 계속하자 퇴각 명령을 내렸다.

"문왕장군, 이곳에 더 머물러다간 전군이 전멸하겠다. 일단 군영으로 돌아가자."

"알겠습니다. 대당장군."

문왕이 퇴각하려고 방향을 틀자 율이 큰소리로 외쳤다.

"이놈 문왕아, 매복 군사가 있는지도 모르고 진격하는 놈이 선봉을 설 자격이 있느냐? 가소롭다."

"계집년이 나를 조롱해? 내 창을 받아라."

무장으로서 자존심이 상한 문왕이 율의 가슴을 창으로 찔렀지만, 하늘이 도와주지 않는지 발을 헛디뎌 산비탈로 뒹굴었다. 두량윤성 공략이 잘 풀리지 않자 김품일이 큰소리로 외쳤다.

"문왕장군, 내가 이년을 잡을 테니 걱정 말고 일어나라."

율이 김품일에게 호통을 쳤다.

"김품일 이놈아, 청마산성에서 당한 수모를 되갚아주마."

"되갚을 생각 말고 당황제 첩으로 갈 준비나 해라."

김품일과 율이 밀고 당기는 혈전을 거듭했다. 김품일의 도움으로 목숨을 건진 문왕이 실패를 만회할 것처럼, 두 손으로 창을 움켜잡았다.

"계집년이 하늘 무서운지 모르는구나. 내 창을 받아라."

"이제 두 놈이 공격하는구나. 그래 어서 덤벼라."

율은 김품일에 이어, 문왕까지 상대해야 하는 난감한 처지에 이르렀다. 신라군의 퇴로를 막던 지수신이 문왕에게 일갈호통을 쳤다.

"겁도 없이 공주의 몸에 손을 대려 하느냐? 내 검을 받아라."

지수신이 문왕의 목을 내리치니 문왕의 목에서 검붉은 피가 솟아올랐다.

"대당장군, 후일을…."

"문왕, 그대가."

김품일과 신라군이 쓰러진 문왕을 뒤로하고 퇴각하니 백제군이 승리를 거머쥔 것처럼 함성을 내질렀다.

"흥수 좌평 만세, 정무장군 만세, 백제군 만세."

백제군의 함성과는 달리 승리의 대가치곤 전쟁의 상흔이 지독했다. 신라군의 시체가 능선과 능선 사이에 가득 차고, 계봉산이 피의 동산이 되어버렸다. 지수신이 코를 막으면서 말했다.

"스승님, 신라군의 시체가 산을 이루고 있습니다. 오랫동안 방치하면 시체 썩은 냄새가 진동할 것 같습니다."

"나도 시체 썩은 냄새에 머리가 돌 지경이다. 하니 빨리 땅에 묻어라."

백제군 병사들이 죽어 나자빠진 신라군의 시체를 땅속에 파묻자, 산 능선에 나뒹굴던 전쟁의 상흔이 조금씩 가시기 시작했다.

도침에게 부소산성에 심어놓은 세작으로부터 한 통의 밀서가 날아들었다. 유인원 밑에서 백의종군을 하고 있던 유인궤가 검교대방주자사로 복권되었다는 청천벽력같은 급보였다. 만만히 볼 일이 아니었다.

나당군의 동태를 살피기 위해 도침과 흑치상지는 백강으로 말을 달렸다. 청산성과 백강을 이어주는 들녘에 아지랑이가 피어올랐다. 이들이 백강에 말을 멈추자 주둥이를 처박고 먹이를 찾고 있던 청둥오리가 하늘 높이 날아올랐다.

도침이 흑치상지의 심중을 떠보았다.

"유인궤가 선봉을 자청했다 하니 작전을 다시 세워야 할 것 같소. 장군의 생각은 어떻소?"

유인궤는 보통이 넘는 인물입니다. 소정방에게 버금가는 인물로 소장이 겪어보아서 잘 압니다."

"유인궤를 너무 걱정하지 맙시다. 우리가 백강만 틀어쥐고 있으면 사비성의 나당군은 기어 나올 수밖에 없소. 한데 장군, 저곳에 수상한 나룻배가…."

말을 끝낸 도침이 전광석화처럼 강기슭으로 달려가더니 나룻배에서 내리고 있는 장정의 목덜미를 움켜쥐었다.

"소인은 어부올시다. 목을 놓아주십시오. 숨이 막혀 죽겠습니다."

장정의 숨넘어가는 소리에 도침이 말했다.

"장군, 이놈의 근육질로 단련된 손을 보십시오. 이게 어디 어부의 손입니까."

흑치상지도 장정의 손을 잡아보니 도침의 말처럼 무술로 단련된 손이었다.

"맞습니다, 이놈의 손은 어부의 손이 아닙니다."

장정은 도침의 손아귀에서 벗어나려고 발버둥을 쳤다.

"놓아라, 중놈이 무고한 백성을 괴롭혀도 되느냐?"

"이놈이 입만 살았구나. 하지만 죽고 사는 것은 너의 입에 달렸으니 이곳에 온 이유를 말하라."

"중놈아, 죽으면 죽었지 어림없다."

장정은 도침이 손쓸 겨를도 없이 혀를 깨물고 쓰러졌다. 도침은 허망하게 죽은 장정이 의심스러웠다.

"장군, 이놈의 몸을 수색해보십시오. 중요한 단서가 나올지 모르니…."

"그럼 소장이 이놈을…."

흑치상지가 죽은 장정의 몸에서 비단 천 조각을 발견했다. 그런데 흑치상지의 얼굴이 돌처럼 굳어졌다. 도침은 어리둥절했다.

"장군, 천 조각에 무슨 내용이 쓰여 있기에 얼굴색이 변하오."

"선사님도 한번 보십시오. 유인궤가 이간책을 쓰는 것 같습니다."

흑치상지가 비단 천 조각을 대던지듯 도침의 손에 쥐어주었다.

구르레포구에서 장군이 생포될 때 약속했지요. 장군의 공명은 보장하겠다고. 청산성 전투에서 장군의 활약상은 잘 알고 있지만 백제는 멸망했소. 장군이 가짜 중 도침의 수급을 잘라오면 전번에 한 약속을 책임지겠소.
유인궤 배상

도침은 자신의 목을 한번 만져보았다. 흑치상지가 그럴 리 없겠지만 혹시나 하는 생각이 들었다.

"내가 이따위 이간책이 놀아날 것 같소? 걱정 마시고 유인궤 잡을 생각만 하십시오."

"믿어주시니 고맙습니다."

"믿고 말고가 어디 있습니까? 당연한 것 가지고…"

도침과 흑치상지가 청산성으로 말머리를 돌렸지만 흑치상지와는 달리 도침의 머릿속이 거미줄처럼 뒤엉키기 시작했다.

유인궤는 흑치상지에게 밀서를 보냈다. 흑치상지를 회유하려는 의도도 있었으나 도침과 틈을 벌려 백제군의 내분을 조장하기 위해서였다. 하지만 밀사로 간 병사가 돌아오지 않았다. 필경 도침에게 잡혀 죽든가 자결했든가 둘 중에 하나였다.

"도호님, 흑치상지에게 보낸 병사가 돌아오지 않고 있습니다. 계속 답을 기다릴 수는 없으니 출병을 해야겠습니다."

"지난번 청산성 전투에서 1천의 아까운 병사를 잃었소. 그러니 무슨 할 말이 있겠소. 장군의 뜻대로 하시오."

"합하께서 가짜 중놈을 도망치게 해 오늘에 이르렀습니다. 이번만은 기필코 가짜 중놈을 잡아야 합니다."

"말씀이 지나치시오. 장군을 참수하지 않고 백의종군시킨 분도 합하시고, 검교대방주자사로 복권시킨 분도 합하시오. 나를 원망하는 것은 참을 수 있지만 합하께 화살을 돌리는 것은 용서할 수 없소."

유인원은 심기가 불편했다. 마치 자신의 패배를 조롱하는 것처럼 들렸다.

"오해십니다. 다만 그때의 일을 상고해서 말씀을 드렸을 뿐."

유인궤는 고개를 숙였다. 아직은 유인원의 힘에 미치지 못했다. 도호는 황제의 신임 없이 맡을 수 없는 중요한 직책이었다. 유인원의 말 한 마디면 다시 병졸로 강등되는 수모를 당할 수도 있었다.

"장군이 알아들은 것 같으니 더 이상 거론하지 않겠소. 출병이나 서두르시오."

"명심하겠습니다, 도호님."

유인궤는 유인원에게 군례를 하고 지휘부를 나왔다. 뒤통수가 껄끄러웠지만 도침과 흑치상지가 웅거하고 있는 청산성만 함락시키면 공명이 손에 잡힐 것 같았다. 출병장으로 들어가자 잡찬 길나(吉那)가 선봉을 자청했다.

"장군님, 소장의 신라군이 선봉에 서겠습니다."

"이번 작전에 그대와 나의 명줄이 달렸다. 하니 도침과 흑치상지를 사로잡아 공을 세워라."

신라군과 당군이 지축을 흔들면서 청산성으로 진격했다. 이제 돌이킬 수 없는 양군의 한 판 승부가 시작되었다.

봄기운에 겨울잠을 자고 있던 흙이 기지개를 펴면서 허연 김을 내뿜었다. 들풀은 푸르고 백성들이 심은 보리도 제법 자라, 백강의 푸른 물결처럼 하늘을 보면서 출렁거렸다. 하지만 청산성에 전운이 감돌았다. 나당군의 동태를 감시하던 척후병이 돌아왔다.

"선사님, 유인궤의 나당군이 개미떼처럼 몰려오고 있습니다."

도침이 흑치상지에게 되물었다.

"유인궤와 대적하려면 어떻게 하면 좋겠소. 청산성은 너무 작아 수성하기가 힘들 것 같소."

청산성은 흙으로 쌓은 토성으로 사비성의 보조산성에 지나지 않았다.

"청산성을 나가 싸우는 것이 상책입니다. 유인궤의 나당군이 5천밖에 안되니 우리 군이 능히 제압할 수 있습니다."

"그렇다고 성을 비워둘 수 없지 않소. 놈들에게 퇴로가 막히면 청산성에 들어갈 수 없고 우리 군은 전멸할 수밖에 없소."

"청산성을 등지고 싸우면 후미가 잘릴 일이 없습니다."

청산성은 소모전에는 적합하나 공성전에는 위험했다. 도침은 흑치상지의 전략을 받아들였다.

"장군의 전략이 최상은 아니나 다른 방법이 없소. 다만 같이 싸우면 전멸할 수 있으니 좌 우군으로 나누어 유인궤를 협공합시다."

"선사님이 우리 군의 수장이니 좌군을 맞으십시오. 소장은 우군을 맡겠습니다."

백제군이 좌군과 우군으로 나누었다. 이제 청산성의 들녘이 피로 물들 시간이 성큼 다가왔다. 나당군의 선봉에선 유인궤는 흑치상지를 보자 감회가 새로웠다.

"장군을 보니 구르레포구가 생각나오. 망한 나라에 미련을 두지 말고 대당의 품으로 돌아오시오."

흑치상지는 밀서 사건도 있어 도침 보기에 낯 뜨거웠다.

"당신들이 백성의 재물을 수탈하고 젊은 부녀자를 수없이 겁탈했소. 그나마 남아있는 장정들은 노비로 만들기 위해 당나라로 끌고 갔소. 또한 선대왕을 북망산에 묻게 했으니 어찌 무장으로서 참고 있겠소."

흑치상지의 열변을 엄호하듯 도침이 유인궤를 조롱했다,

"네놈의 나라에 장수감이 없는 것 같구나, 병졸로 박박 기던 놈을 장수로 삼아 전장에 보내다니…하하하."

잡찬 길나가 도침에게 검을 빼들었다.

"가짜 중놈이 대당의 장수를 욕보여? 이 검으로 네놈의 혓바닥을 잘라주마."

" 어린놈이 내 혓바닥을 자른다고, 내 창이나 받아라."

도침의 창과 길나의 검이 허공에서 부딪쳤다가 떨어졌다. 그리고 다시 부딪치니 섬광이 하늘에 번쩍이었다. 흑치상지도 도침에게 지지 않으려는 듯 검으로 유인궤의 목을 내리쳤다. 그런데 유인궤의 행동이 수상했다. 흑치상지의 검을 피하면서 작은 목소리로 말하였다.

"전번에 보낸 밀서를 보셨소? 장군이 주군으로 모시는 태자의 당부도 있었소. 잘 생각하시오."

"이놈아, 무슨 헛소리를 하느냐, 네놈의 목이나 내놓아라."

"내 목보다 장군의 목이나 잘 간수하시오. 그리고 내가 하루의 말미를 주겠소. 잘 선택해 후회하는 일이 없게 하시오."

유인궤가 의미심장한 말을 내뱉고 말머리를 돌렸다. 무슨 꿍꿍이속이 있는 것처럼 당군도 쫓으면 도망가고 지치면 다시 몰려와 전투를 하는 척하니 흑치상지는 난감했다. 하지만 도침은 싸울수록 힘이 넘쳐났다. 길나를 숨을 쉴 겨를도 없이 매섭게 공격했다. 좌군도 도침처럼 생사를 초월했다. 승병으로 뭉쳐진 병사로 신라군의 기선을 손쉽게 제압해나갔다.

"이놈 길나야, 그런 실력으로 어떻게 장수가 되었느냐. 김춘추도 눈이 멀었구나."

길나는 혼신의 힘을 다해 싸웠지만 도침의 용력 앞에서는 무기력했다. 결국 길나도 유인궤처럼 말머리를 돌렸다.

"하하하, 길나야, 어미젖이나 더 먹고 오너라."

도침이 도망치는 길나를 조롱하고 있는데 흑치상지의 우군이 전투하는 모습이 예사롭지 않았다. 생사를 건 싸움이 전쟁놀이 하는 것처럼 엉성하고 소리만 요란했다. 불길한 예감에, 백강에서 죽은 장정이 생각났다. 유인궤의 술책에 걸려들은 것처럼 눈앞이 깜깜했지만 흑치상지는 백제의 둘도 없는 장수였다. 도침은 머릿속을 정리하듯이 길나의 뒤를 쫓았다.

유인궤는 이번 잔적 토벌을 어렵게 보았다. 가짜 중놈, 도침의 항우장사 같은 힘과 흑치상지의 용력은 삼한에서 견줄 자가 없었다. 결국 이이제이(以夷制夷)전술을 택했는데 도침이 의심스런 눈빛으로 흑치상지를 바라보니 절반은 성공한 것 같았다.

"이 정도면 작전이 성공했다. 전군은 퇴각하라."

유인궤의 명령에 나당군이 퇴각을 감행했다. 도침은 정신이 번쩍 들었다.

"도망가는 나당군이 수상하다. 놈들의 뒤를 쫓지 마라."

양군의 일차전은 흑치상지의 우군이 전투다운 전투를 해보지 못하는 바람에 별다른 성과를 내지 못했다. 도침은 군영으로 돌아온 흑치상지에게 물었다.

"도대체 어찌 된 일이요. 우군이 앞으로 나가지 못하고 있으니 잘못하면 우리가 되잡힐 뻔했소."

"유인궤가 소극적인 작전을 구사하면서 항복을 유도하고 있습니다. 한마디로 이간책을 쓰고 있습니다."

"우리가 전력을 다해 싸워도 이길까 말까 하오. 유인궤에게 등을 보여서는 아니 됩니다."

흑치상지는 도침에게 고개를 숙였다. 다음 전투에는 자신의 진면목을 보여주겠다고 다짐하면서 도침의 시선을 피해 한숨을 몰아쉬었다.

군영에 돌아온 유인궤는 신라군의 전투력에 혀를 찼다.

"길나 장군, 오합지졸 같은 승병에게 쩔쩔매는 신라군을 보니 정말 한심하오."

"가짜 중놈과 승병들의 검술이 보통이 아니지만 어딘가 빈틈이 있을 겁니다. 조금만 말미를 주시면…."

길나는 처녀 출전이었다. 유인궤의 눈에는 아직 햇병아리였다.

"장군의 실력으로 가짜 중놈의 검술을 당할 수 있을까 매우 염려스럽소."

"걱정 마십시오. 필히 중놈을 척살하겠습니다."

"허허, 장군의 말대로 된다면 무슨 걱정이 있겠소. 꼭 실천하시오."

유인궤는 전쟁에 지친 병사들을 쉬게 하였지만 휴식은 한 시진도 가지 않았다. 유인원으로부터 한 장의 밀서를 받았다. 유인궤는 급히 부장을 불렀다.

"이 밤에 급한 일이…."

"병사들을 전투준비 시켜라. 기습공격으로 잔적들을 궤멸시키겠다. 도호의 명령이다."

유인궤의 동광이 먹이를 찾는 독사마냥, 부장을 노려보았다. 부장은 다시 묻고 싶었지만 눈빛이 섬뜩해 입을 다물었다. 어둠은 별과 달을 집어삼키고 백강의 물결 소리가 병사들의 마음을 심난하게 했다.

유인궤가 백제군의 군영을 바라보니 간혹 기침 소리만 밤의 적막을 깰 뿐 병사들의 움직임은 보이지 않았다. 나당군이 살금살금 어둠을 헤치면서 백제군의 군영으로 숨어 들어갔다. 유인궤는 신바람이 났다.

"잔적들이 모두 잠들었다. 불화살을 쏘아 잔적을 모두 죽여라."

백제군의 군영이 우박처럼 쏟아지는 불화살에 몸살을 앓기 시작했다. 길나는 도침에게 당했던 수모를 돌려주고 싶었다.

"병사들아, 가짜 중놈을 찾아라. 그놈만 잡으면 잔적 토벌은 끝이 난다."

나당군의 공격에도 백제군의 군영은 예상 외로 조용했다. 군막이 화염에 휩싸였지만 백제군은 어디에 있는지 보이지 않았다. 유인궤의 얼굴이 돌처럼 굳어졌다.

"길나 장군, 매복에 걸렸다. 퇴각하라."

유인궤의 명령이 채 끝나기도 전에 불화살이 나당군의 머리 위에 떨어졌다. 도침이 어둠 속에서 뛰쳐나와 유인궤와 길나의 퇴로를 차단했다.

"유인궤야, 얄팍한 술수로 나를 속일 것 같으냐? 네놈은 이제 독 안에 쥐다. 염라대왕에게 갈 준비나 해라, 하하하."

"가짜 중놈아, 잘 만났다."

유인궤와 길나가 도침을 공격했지만 도침의 창은 싸울수록 사나웠다. 비호처럼 좌우를 날면서 유인궤와 길나의 검을 제압했다. 우군을 맡고 있는 흑치상지가 나타났다.

“소장이 유인궤를 맡겠으니 선사님은 길나를 맡으십시오.”

흑치상지의 말에 길나가 비웃었다.

“좋다, 네놈의 말대로 내가 가짜 중을 상대해주마.”

“그래 한 판 붙어보자, 길나야.”

도침과 길나가 사투를 시작하자 흑치상지도 유인궤를 공격했다,

“감언이설로 이간책을 쓰면서 하루의 말미를 준다더니 그 새를 못 참고 나의 뒤통수를 치는구나. 오랑캐를 믿지 말라는 말이 있지만 네놈이 그럴 줄은 몰랐다. 내 검을 받아라.”

“나를 원망 말고 항복하라. 흑치상지,”

“허튼 수작 마라. 오랑캐야,”

흑치상지의 분노가 폭발했다. 유인궤를 숨 돌릴 틈도 없이 공격했다. 결국 유인궤가 흑치상지의 공격을 견디지 못하고 말머리를 돌렸다. 갈 길이 바쁜 도침이 큰소리로 외쳤다.

“형제들아, 도망치는 유인궤를 잡아라. 사비성의 탈환이 목전에 왔다.”

피의 향연에 부채질하듯 강바람이 굉음을 내면서 불었다. 이렇게 백제군이 승세를 굳히는 순간 부소산성의 성문이 열렸다. 도

호 유인원이 김인태에게 명령했다.

"내가 유인궤를 지원할 테니 왕자는 청산성을 점령하라."

"청산성의 정도야… 알겠습니다. 도호님."

유인궤는 유인원의 전략에 탄복했다. 백제군을 백강까지만 끌어내면 청산성을 점령하겠다는 밀약이었다. 백제군의 매복에 걸렸지만 내색하지 않고 퇴각했다. 많은 사상자를 냈지만 승리를 위해서는 개의치 않았다. 병졸은 단지 공명을 위한 소모품에 불과했다.

"병사들아, 잔적들을 참살하라. 도호께서 지원군을 몰고 오고 있다."

유인궤의 명령에 도망치던 나당군이 백제군을 다시 공격했다. 도침은 당혹했다.

"흑치상지 장군, 잘못했다가는 전멸할 것 같소. 청산성으로 들어갑시다."

"맞습니다. 청산성으로 들어가든가, 부교를 건너 임존성으로 들어가는 방법밖에 없을 것 같습니다."

"임존성은 안 되오. 청산성에서 놈들과 사생결판을 냅시다."

밤하늘의 별들이 청산성으로 들어가는 백제군의 등불이 되어주었건만 도침의 전략은 빗나갔다. 청산성의 성루에 김인태가 나타났다.

"가짜 중놈과 곰 같은 흑치상지야, 우리 작전에 손쉽게 걸려들었구나? 내가 청산성을 점령했다. 목을 내놓든가 항복하라, 하하하."

도침은 유인궤의 기습을 예견했으나 유인원의 등장을 예상하지 못했다.

"저런 어수룩한 놈들에게 속은 소승이 바보요. 이제 임존성으로 들어가는 길밖에 없소."

"맞습니다. 원통하지만 후일을 기약하는 수밖에…."

결국 백제군은 부교를 건너 임존성으로 들어갈 수밖에 없었다. 승리를 눈앞에 둔 유인궤가 흑치상지의 앞을 가로막았다.

"내가 장군의 공명을 보장해주겠다. 더 이상 버티지 말고 항복하라."

"어림없는 수작 마라. 항복할 내가 아니다, 하하하."

흑치상지의 조소에도 유인궤는 우호의 눈빛을 보냈다. 도침은 유인궤의 눈빛이 수상했지만 지체할 시간이 없었다.

"빨리 부교를 건너시오, 흑치상지 장군."

"선사님이 먼저 건너십시오. 소장이 유인궤를 막을 테니."

흑치상지가 부교를 건너는 도침과 병사들의 후미를 방어하자 유인궤가 다시 항복을 권했다.

"항복하는 것이 장군에게 득이 될 것이요."

"더 이상 나를 추하게 만들지 마시오. 공명은 백강에 버린 지 오래요."

흑치상지가 검을 빼들자 유인궤가 한 발 물러섰다.

"항복하지 않으려면 부교를 건너시오. 내 공격하는 척하다가 놓아주리라."

"그게 무슨 말이오?"

"장군이 주군으로 받드는 태자가 조만간 귀국할 것이오. 그것이 장군을 살리는 이유요."

흑치상지는 유인궤가 오래 사귄 지우처럼 느껴졌다.

"알겠소만 믿지 마시오. 다음에 장군을 만나면 목을 취할 수 있소."

"그때가 온다면 내 목을 기꺼이 내놓겠소, 하하하."

흑치상지가 유인궤의 웃음소리를 뒤로하고 부교로 달려가자 길나의 얼굴색이 변했다.

"소장이 저놈을 잡겠습니다. 허락해주십시오."

"흑치상지를 쫓지 마라. 내가 저놈들을 송두리째 잡을 방법이 있다."

"그게 무슨 말씀입니까, 장군님?"

길나는 유인궤의 명령이 마음에 들지 않았는지 툴툴거렸다. 흑치상지가 혼신의 힘을 다해 부교를 건너가니, 부교가 마지막 임무를 다했다는 듯이 강물 속으로 사라졌다. 흑치상지로서는 살얼음판을 딛는 긴 하루의 여정이었다.

15장 / 후계자

김춘추가 어전에 들어왔다. 용안이 죽음을 앞둔 사람처럼 핏기 한 점 찾아볼 수 없을 정도로 창백했다. 옥좌에 앉아마자 김법민과 장수들을 향해 목소리를 높였다.

"3만 대군이 출병해 초라한 전과로 돌아올지 몰랐도다. 짐은 두량윤성에 참전한 장수의 공과를 면밀히 분석해 앞으로 있을 조정 인사에 반영하겠다. 태자는 전과를 한 가지도 빼지 말고 소상히 보고하라."

"아바마마, 흥수의 출현으로 고사비산에서 아찬 충상의 선발대 3천, 두량윤성에서 잡찬 문왕과 병사 7천이 서라벌로 돌아오지 못했나이다."

김법민의 입에서 흥수의 이름이 흘러나오자 김문영의 얼굴에 핏기가 가셨다. 고마미지현의 해안에서 죽은 줄 알았던 흥수가 사비성에 나타나더니 두량윤성에도 나타났다. 마치 자신을 조롱하는 것처럼 전장을 누비면서 신라군을 사지로 내몰았다.

"폐하, 소신이 흥수의 수급만 취했어도 패전은 없을 것입니다. 소신에게 패전의 책임을 물으시옵소서."

"그대는 패전을 입에 담지 마라. 오늘의 패전은 대당장군에게 있다. 청마산성에서 어렵게 생포한 지수신과 율을 놓아준 것도 모자라 이제는 두량윤성에서 당했다. 흥수의 수급은 고사하고 아까운 병사만 잃고 왔다. 대당장군은 할 말이 있는가?"

김품일이 납작 엎드렸다.

"소신의 무능으로 흥수에게 당했사옵니다. 소신을 벌하시고 남아있는 장수들은 용서하옵소서."

김춘추는 김유신을 나이가 많다는 이유로 내치고, 김품일에게 대당장군 보직을 주어 잔적들을 토벌하고자 했다. 믿음이 실망이 되어 돌아왔다.

"그대는 짐의 기대를 산산이 조각내고 말았다. 짐은 전과에 따라 상벌을 내리겠노라. 그대는 패전한 책임을 물어 대당장군직에서 해임하겠다. 낮잠을 자다가 패전한 아찬 충상은 두 등급 내려 사찬으로 강등하니 그리 알라."

김법민이 김품일을 구명했다.

"아바마마, 대당장군은 백제 정벌에 지대한 공을 세운 무장이옵니다. 다시 전공을 세울 기회를 주옵소서."

"대당장군이 자식을 나라에 바치고 계백을 물리친 공은 차고 넘치지만 이번 패전에 비껴갈 수 없다."

김춘추의 진노에 김품일이 복명했다.

"폐하, 소신을 죽여 군문에 효수하옵소서."

"대당장군은 물러가라. 짐의 심신이 괴롭도다."

김춘추가 금방이라도 숨이 멎을 것처럼 가쁜 숨을 몰아쉬자 김흠순은 권력의 무상함에 마음이 울적했다. 하지만 김유신을 내친 것을 생각하니 김품일의 패전이 한편으로는 고소하기도 했다.

사비성에 숨어있는 나당군의 숨통을 쥐고자 출병했던 병사들이 돌아왔다. 흥수의 두량윤성 구원이 대미를 장식했다. 한 가지 흠이라면 도침이 청산성에서 패전했다. 그렇지만 도침의 용병술은 유인원과 유인궤의 심장을 얼어붙게 했다. 또 하나 승전에 빼놓을 수 없는 것은 덕집득의 눈부신 활약이었다. 복신은 덕집득의 무용담에 할 말이 없다는 듯이 찬사를 늘어놓았다.

"내가 눈이 멀어 현령의 높은 전략을 알지 못했소. 좁은 식견을 용서하시오."

"소인의 전략이라뇨? 모두가 다 좌평의 전략에서 나온 것입니다. 소인은 좌평의 전략에 따른 것밖에 없습니다."

덕집득이 얼굴을 붉히면서 말하자 흥수가 반색했다.

"현령의 전략이 없었다면 두량윤성의 승전은 이루어질 수 없었소. 그러니 너무 사양하지 마시게…."

"제가 보아도 대단했어요, 스승님."

"공주님, 소인은 그저…."

복신은 민망해하는 덕집득을 바라보다가 마음속에 담아두었던 수도 이전을 조심스럽게 꺼냈다.

"임존성은 적을 방어하기는 쉬우나 물길이 멀어 왜국과 교통하기가 어렵소. 이제 나라의 기틀이 마련되었으니 수도를 주류성(周留城 서천 건지산성, 추정)으로 정해 풍 왕자를 맞을까 합니다. 좌평의 생각은 어떠신지."

흥수도 복신의 생각과 별반 다르지 않았다.

"우리 백제의 젖줄인 백강을 방어하기 위해서는 주류성이 수도로서 매우 적당합니다. 두 말 말고 옮기십시오."

지수신도 만족했다.

"나당군이 눈치 채기 전에 전광석화처럼 수도 이전을 해야 합니다. 빨리 매듭을 지으십시오."

흥수에 이어 지수신까지 찬성하자 복신의 얼굴이 밝아졌다.

"소장의 생각에 따라주시니 고맙습니다. 곧바로 수도를 주류성으로 옮기겠습니다. 그러니…."

도침이 복신의 말꼬리를 잡고 늘어졌다.

"수도 이전보다 급한 것이 있소. 여기 계신 분들도 알고 있는 것처럼 지휘 계통이 있으나 제대로 움직이지 않고 있소. 복신 장군이 상좌평으로 오르고 상잠장군(霜岑將軍)으로 군권을 통솔하십시오. 소승은 영군장군(領軍將軍)으로 칭하고 오랑캐와 싸우겠소."

도침의 제안에 복신이 손사래를 쳤다.

"소장이 상좌평을 맡는 것은 너무 과분하오. 아직 준비가 덜 되었소, 선사님."

"소승의 말을 한번 들어보십시오. 소승에게 오랑캐와 신라놈들이 무어라고 욕설을 퍼붓는지 아십니까? 가짜 중놈 아니면 땡중 운운하고 있소. 이런 모욕을 당하면서까지 군병을 지휘할 수는 없소. 성주님도 백제군의 총수인데 달솔도 못되는 은솔에 머물러 있소. 이러고 어찌 달솔과 좌평직에 있는 장수를 통솔할 수 가 있겠소. 지금까지 따라준 것만으로도 기적이오. 두말할 것 없이 상좌평에 오르십시오. 선대왕의 동생만으로 영이 서지 않소."

도침의 생각처럼 난세가 아니면 은솔이 상급자인 달솔과 좌평의 직에 있는 장수를 통솔한다는 것은 꿈도 꿀 수 없었다. 달솔인 흑치상지도 찬성했다,

"선사님의 말씀이 타당합니다. 성주님께서 상좌평과 상잠장군으로 정무와 군사를 총괄하십시오. 또한 선사님도 상좌평의 한 팔인 영군장군이 되시면 우리 군의 위상은 한층 더 높아질 것입니다."

지수신이 덕집득을 장군으로 추천했다.

"상좌평에 오르실 분은 성주님밖에 없습니다. 그리고 두량윤성에서 공을 세운 덕집득을 은솔로 보하고 장군의 직책을 주셨으면 합니다."

"말씀은 고맙지만 궁벽한 시골현령에게 장군의 보직은 좀 과한 것 같습니다."

덕집득이 사양했지만 지수신이 밀어붙였다.

"아니오. 현령처럼 공을 세운 분이 아니면 누가 장군이 되겠소. 너무 사양하지 마시오."

율은 밀지를 주시던 부왕의 모습이 생각났다. 왜국에 볼모로 잡혀있는 풍 오라버니가 왕위를 이어받고, 숙부가 상좌평에 오르

면 나라의 부흥이 불꽃처럼 일어날 것만 같았다.

"숙부님, 빨리 승낙하셔요. 잘못하면 부왕의 유조가 물거품이 될 수 있어요."

"너무 뜻밖이라…."

복신이 머뭇거리자 사타상여가 버럭 화를 냈다.

"성주님답지 않게 무얼 꾸물대십니까? 지금 당장 결정하십시오."

흥수가 복신의 양 어깨에 힘을 실어주었다.

"부흥 전쟁의 양대 산맥인 두 분이 바로 서야 군령도 바로 섭니다. 상좌평의 대임을 맡으십시오."

복신이 망설인 끝에 승낙했다.

"좌평과 제장들의 청을 받아들여 상좌평을 맡겠소. 그리고 도침 선사를 영군장군에, 덕집득을 은솔로 승차시키고 장군의 보직을 주겠소."

이렇게 덕집득이 권력의 핵심부에 한 발짝 다가갔다. 복신은 다시 장수들의 눈빛을 살피면서 말했다.

"나라의 근간이 정해졌으니 장수들의 보직을 정하겠소. 흑치상지 장군이 가림성(加林城, 부여 성흥산성)을, 임존성은 지수신과 사타상여 장군이 맡아주시오."

가림성은 동성왕 23년 사비성을 방어하기 위해 성흥산(聖興山)에 구축한 산성이었다. 흑치상지가 흔쾌히 승낙했다.

"가림성은 걱정 마십시오. 상좌평."

"장군이 승낙하니 한 시름 놓았소. 정말 고맙소."

복신은 결단을 내렸다. 흑치상지가 율을 연모하는 것 같았다. 생각 끝에 흑치상지를 가림성으로 보내는 극약처방을 썼다. 그것만이 조카인 율을 위해, 자신이 할 수 있는 최선의 선택이라고 생각했다. 복신의 마음을 알고 있는 것처럼 율의 얼굴이 밝아졌다.

"태자 오라버니가 아시면 크게 기뻐하실 것입니다. 무운을 빌겠습니다. 흑치상지 장군님."

"공주님이 저하를 말씀하시니 태자궁에서 있었던 검술 대련이 생각납니다. 그때부터 저하를 괴롭혔지요. 하나 저하가 오랑캐 땅에 계시니…."

흑치상지는 태자궁에서 율과 검술 대련을 했던 그 순간을 회상했다. 율의 표정이 어두워지자 지수신이 말꼬리를 돌리듯 말했다.

"임존성은 장군이 구원한 성이니 가림성에 가시더라도 아무쪼록 잘 부탁하겠소."

"구원했다는 말은 가당치 않소. 그리고 소장에게 너무 신경 쓰지 마십시오. 듣기 거북합니다."

흑치상지의 대답이 매끄럽지 못했다. 하지만 실타래처럼 엉켜 있던 수도 이전과 장수들의 보직이 마무리 되었다. 복신을 비롯한 장수들이 임지로 떠나기 위해 지휘부를 나갔다. 흥수와 지수신도 자리에서 일어나려 하니 도침이 앞을 가로막았다. 그리고 장수들이 다 나간 것을 확인하는 것처럼 지휘부를 매서운 눈초리로 샅샅이 뒤졌다. 지수신은 도침의 행동이 수상했다.

"하실 말씀이 있는 것 같은데 무슨 일입니까?"

"청산성에서 우리 아군이 쉽게 패배한 것이 의심스럽소. 그 원인이 다른 곳에 있는 것 같아서 말도 못 하고 냉가슴만 앓고 있소."

"대체 무슨 말씀이시오."

"흑치상지가 수상하오. 유인궤와 내통한 기분이 들어요. 밀서 건만 보아도 그렇고.."

도침은 유인궤가 보낸 밀서 건이며, 전투 중에 유인궤가 적극적으로 흑치상지와 싸우지 않은 점, 부교에서 유인궤의 모습을 상세히 설명했다. 지수신은 믿을 수가 없었다.

"흑치상지의 행동이 좀 미심쩍지만 나라를 사지로 빠트릴 장수는 아닙니다. 영군장군께서 좀 과민하신 것 같습니다."

"내가 몰라서가 아니요. 주류성의 코앞에 있는 가림성을 흑치상지에게 맡긴다는 것은 한번쯤 생각할 필요가 있어서 하는 말이오."

흥수도 말을 아꼈다.

"수신아, 내가 알기로 유인궤가 그런 행동을 했다면 무슨 이유가 분명 있을 것이다. 영군장군의 말을 흘려듣지 마라. 매사 조심해서 나쁠 것이 없다."

"소승도 좌평의 생각과 같소. 흑치상지가 장군을 바라보는 눈빛도 심상치 않소."

"그 무슨 말씀을…."

지수신은 멈칫했다. 천 길 물속은 알 수 있다지만 사람의 마음속은 알 수 없다는 고사가 생각났다. 더구나 율을 가슴속에 품고 있으니 자신을 바라보는 눈빛이 고울 리가 없었다.

흥수도 흑치상지의 마음을 어렴풋이 짐작하고 있었다. 한마디로 지수신과 율, 그리고 흑치상지의 실타래처럼 엉킨 인연이 어디로 튈지 지금으로선 가늠할 수가 없었다. 흥수가 지휘부를 나오자 초여름으로 들어선 것처럼 제법 뜨거운 바람이 불었다.

흑치상지는 막상 임존성을 떠나려 하니 율의 모습이 눈에 아른거렸다. 율을 잊기 위해 청산성에 출병했지만 패전하고 돌아왔다. 율에게 가까이 가면 갈수록 율은 멀어져만 갔다. 사타상여가 흑치상지의 손을 살며시 잡았다.

"임존성에 계시면 형님의 아픔만 더 커집니다. 정말 잘 되었습니다."

"그게 무슨 소리인가? 아픔만 커진다니…."

"아우가 아무리 둔해도 형님의 마음을 모르겠소. 엮어지지 않은 인연에 연연하다 보면 형님만 이상한 사람이 될 수 있소."

“아우가 눈치 챘으니 말하겠네, 아무리 잊으려 해도 공주의 모습이 가슴속에서 떠나지 않네.”

사타상여는 흑치상지가 딱해 보였다. 몸이 곰처럼 우직한 칠척 거한이요 눈빛은 범처럼 매서웠다. 범과 곰의 기상을 빼닮은 흑치상지는 백제의 자랑이었다. 이런 장수가 연정에 병들어 가니 사타상여는 답답했다.

“범 같은 장수가 연정에 눈이 멀었으니 어찌 한단 말이오. 정신 차리시오.”

“자네 말대로 앞이 보이지 않네. 그러니 도와주시게.”

“그렇지 않아도 눈을 멀게 한 공주가 이리로 오고 있소. 저기를 보십시오.”

흑치상지는 사타상여가 가리키는 연못을 바라보았다. 율과 문사의 모습이 눈에 잡혔다.

“공주를 만나면 무엇 하겠는가? 잠시 피해 있겠네.”

율을 피하는 것도 말처럼 쉽지 않았다. 문사가 한걸음에 달려왔다.

“장군이 가림성에 가신다는 소식을 들었습니다. 정말 잘 되었습니다.”

“세손마마, 소장이 가림성에 있어도 임존성에 있는 것과 별반 다르지 않습니다. 걱정 마십시오.”

“알겠습니다만 끈 떨어진 왕손의 처지가 난감합니다.”

"끈 떨어지다니요. 그렇게 걱정이 되시면 가림성에 갑시다. 소장이 살펴드리겠습니다."

흑치상지는 문사의 마음을 알고 있었다. 모든 화두가 풍의 귀국이었다. 작금의 현실은 세손으로서 설 공간이 없었다.

"도움이 될지 짐이 될지 모르지만 장군을 따라가겠습니다."

율도 다른 방법이 없었다.

"문사를 잘 보살펴주십시오, 흑치상지 장군님."

"공주님, 세손마마도 이제 큰일을 할 나이십니다. 하니 너무 걱정 마십시오."

사타상여는 흑치상지의 그늘진 눈빛이 마음에 걸렸다.

"세손마마, 지금 어디 가시는 길이십니까? 제가 동행해 드리겠습니다."

"선 낭자를 만나려 대련사로 가는 길인데요."

"그럼 소장과 같이 갑시다. 두 분이 하실 말씀이 있으신 것 같으니…."

사타상여의 말에 문사는 흑치상지에게 시선을 돌렸다. 자신이 선을 지켜보듯 흑치상지도 고모에게 마음을 빼앗긴 것 같았다.

"고모님, 소질이 먼저 대련사에 가있겠습니다. 뒤따라오십시오."

문사와 사타상여가 눈앞에서 사라지자 흑치상지는 마지막 몸부림을 쳤다.

"소장도 한번 생각해주십시오. 지수신처럼 공주님의 마음을 잡을 수 있도록 기회를 주십시오."

"장군과 저는 이루어질 수 없어요. 이제 마음을 접고 가림성에 가시어 좋은 처자를 만나십시오."

흑치상지의 얼굴이 흙빛으로 변했다. 마음 한구석에 지수신을 제거하고 싶은 욕망이 꿈틀거리기 시작했다.

"다른 처자라니요? 오직 보이는 것은 공주님뿐입니다."

"장군은 정말 어리석은 분이시군요. 이젠 장군의 근처에 얼씬하지 않을 것이니 앞으로 아는 척하지 마십시오."

"공주님. 제 마음은…."

율은 저돌적으로 달려드는 흑치상지의 눈빛이 무서웠다. 태자궁에서 보았던 연민의 눈빛이 아니었다. 살기가 서려 있었다. 율이 대련사로 발길을 돌리자 뒤쫓아 오는 칠 척 거한의 숨소리가 들리는 듯했다.

두량윤성에서 패전한 후, 신라 전역에 역병이 극성을 부렸다. 백성들은 하루에 수십 명씩 죽어 나갔다. 잠잠해질 만하면 다시 들불처럼 번지는 역병의 창궐에 병사를 징집한다는 것은 죽은 자를 다시 살리는 것보다 어려웠다. 눈 뜨고는 못 볼 백성들의 삶이었고 승전국의 빛 가린 전리품의 하나였다.

이런 난국에 김춘추는 병고에 신음했다. 왕비인 문희가 김춘추의 만수무강을 기원하기 위해 불국사로 떠났지만 김춘추의 병은 차도가 없었다. 황망한 사태를 직감한 김법민이 중신들의 의견을 물었다.

"부왕이 병상에 계시는 사이 백성들은 역병에 죽어나가고, 평양성을 공략하고 있는 소정방이 지원군과 군량을 독촉하고 있소. 궁지에 몰린 잔적들도 망둥이처럼 날뛰고 있소. 어찌하면 좋겠소."

김흠순은 조카 김법민이 안쓰러웠다.

"저하, 외람된 말씀이오나 산적해 있는 국사를 처리할 신하는 대장군을 물러난 김유신밖에 없다고 감히 말씀드립니다. 마침 산천을 유람하고 돌아왔다 하니 다시 불러 쓰시옵소서."

김법민의 표정은 그리 밝지 않았다. 부왕이 어렵게 내친 신하를 다시 쓴다는 것은 말처럼 쉽지 않았다.

"연로한 대장군을 무슨 염치로 다시 부르겠소. 당분간 거론하지 마시오."

결국 김유신의 출사는 없던 일이 되고 말았다. 이찬 천존이 말했다.

"잔적들이 설치고 있으나 뿌리 없는 나무가 얼마나 버티겠나이까? 시간이 지나면 잔적들의 기세도 한풀 꺾여 잠잠해질 것입니다. 그리고 유인원이 웅진성으로 도호부를 옮겼으니 잠시 관망하는 것이 좋을 것 같나이다."

천존의 말대로 사비성 도호 유인원은 고슴도치처럼 일어나는 잔적들의 거병에 오금이 저렸는지, 백제의 옛 도성인 웅진성으로 도호부를 옮겼다. 자신의 직책도 웅진도독이라 칭했다. 김법민의 얼굴에 생기가 돌았다.

"이찬의 말씀을 들으니 무거웠던 마음이 한결 가벼워졌소. 하나 무턱대고 관망만 하고 있을 수는 없소. 소정방을 설득할 사신으로 어느 분이 가면 좋겠소."

"소신이 설득하고 돌아오겠사옵니다. 저하."

잡찬 죽지가 자원했다.

"고맙소, 죽지공."

김법민이 어려운 난제를 하나씩 풀고 부왕이 계신 침전으로 발길을 돌렸지만 김법민은 말문이 막혔다. 부왕의 용안에 핏기가 사라지고 푸르딩딩 하게 부어 있었다.

"아바마마, 성심을 회복하옵소서."

김법민의 눈에서 굵은 눈물이 김춘추의 야윈 손등에 떨어졌다. 김춘추의 감겨 있던 눈이 슬며시 열렸지만 패기 있던 그 옛날의 눈빛이 아니었다. 검은 눈동자는 보이지 않고 흰자위만 희멀겋게 김법민을 응시했다.

"아비가 잠저에 있을 때나 등극하였을 때나 나라의 형편이 왜소하니 한시도 마음 놓을 수 없었다. 다행히 황제의 도움으로 백제를 멸하였다. 이제 남은 것은 고구려지만 아비의 병이 깊어 더 이상 친정할 수 없을 것 같다. 태자는 아비가 못 이룬 대업을 이루어라."

"소자는 아직 대업을 이루기에는 턱없이 부족하옵니다. 그런 말씀 마옵소서."

"아비를 따라 그만큼 견문을 익혔으면 되었다. 다만 태자의 성품이 인정에 끌리는 것이 걱정이다. 아비가 다시 말하지만 신하를 가까이 하지도 말고 멀게도 하지 말라. 군주는 항상 칼날 위에 서있다는 냉철한 마음으로 신하를 다스려야 한다."

김춘추는 해가 바뀌면서 역병에 든 것처럼 고열과 구토에 시달렸다. 더구나 두량윤성의 패전으로 참고 있던 화가 치밀어 한 달 가까이 혼수상태를 반복했다. 이제 후사를 걱정할 때가 왔다고 생각하니, 커질 때로 커진 김유신의 위명과 그를 받들고 있는 장수들의 얼굴이 저승사자처럼 머릿속에 떠올랐다. 마치 자신을 송장 보듯이 보면서 조소하는 것만 같았다.

"명심하겠사옵니다. 아바마마."

"알았으면 되었다. 물러가라. 아비는 좀 쉬어야겠다."

"침전을 소자가 지키게 해주옵소서."

김춘추가 김법민의 손을 매몰차게 뿌리쳤다.

"그게 무슨 말이냐? 내 병은 하루아침에 나을 병이 아니다. 태자가 해결해야 할 일들이 산처럼 쌓여있는 것을 알고 있다. 이곳은 궁녀와 어의가 밤낮으로 지키고 있으니 태자는 걱정 마라."

김법민이 눈물바람으로 침전을 나왔다. 그리고 침전 밖에서 시립하고 있는 어의에게 명령했다.

"부왕의 용체를 잘 보살펴라. 너의 목숨은 부왕의 환후에 달렸다. 이상이 있을 시 동궁으로 알려라."

"알겠사옵니다. 저하."

어의가 벌벌 떨었다. 군왕이 죽으면 어의도 살아날 수 없었다. 군왕같이 순장될 판이었다. 김법민은 불국사에서 부왕의 만수무강을 빌고 있는 모후에게 기별했다. 나라의 큰 별이 떨어질 것처럼 밤하늘의 별자리도 수상했다. 대낮인데도 태양이 구름 속에 숨는 날이 빈번하자 백성들도 동요하기 시작했다. 이렇게 김춘추는 끝을 향해 달려갔다.

복신이 주류성으로 수도를 옮긴 지도 보름이 지났으나, 홍수는 무슨 생각을 골몰히 하는지 고마미지현의 그날처럼 무한천의 강둑에 앉아 낚싯대만 드리우고 있었다.

지수신과 율은 홍수의 이런 모습에 마음이 아팠지만, 홍수가 속내를 비치지 않으니 먼발치에서 지켜만 보는 것이 전부였다. 선도 아버지의 병이 또 도졌나 의구심이 들었다. 낚싯대를 드리운 아버지의 옆에 쪼그려 앉아서 조심스럽게 물었다.

"무슨 일이 있어요. 군사참모를 맡으라는 상좌평의 청도 들어주시지 않고 오라버니와 공주님도 안 만나고 왜 그러셔요. 아버지."

홍수는 지수신과 이루어질 수 없는 인연에 목매고 있는 선을 바라보니 가슴이 미어졌다. 문사가 있다지만 선의 눈 밖이었다.

"아비가 긴히 할 말이 있다."

"무슨 말씀이셔요, 아버지?"

아버지의 표정이 진언서를 쓰던 그날처럼 엄숙했다. 두량윤성에서 개선했지만 아버지의 표정은 그리 밝지 않았다. 지수신과 율을 대하는 모습도 예전 같지 않았다.

"네가 싫어하는 문사가 가림성에 갔다지만 지수신의 곁에는 공주가 있다. 아비가 너의 마음을 헤아리지 못하는 것은 아니나 이제 정리할 때가 온 것 같다. 더 이상 미련을 두지 말고 천관산으로 가자. 그것만이 마음의 상처를 덜 받는 길이다."

아버지가 천관산에 가자고 했다. 선은 그동안 참고 있었던 울음보를 터뜨렸다. 천관산에 간다지만 지수신과의 인연은 칼로 물 베듯 쉽게 끊을 수 없었다. 하지만 아버지의 건강이 시원치 않았다. 그날 그 해안가에서 당한 상처 때문에 밤마다 고열에 신음하시니 자식으로서 얼굴을 들 수 없었다.

"아버지의 말씀이 맞아요. 이제 대련사도 지긋지긋해요. 하루라도 빨리 떠나요. 공주님과 오라버니의 지근거리에 맴도는 것도 신물이 나요."

"아비의 마음을 알아주니 정말 고맙다. 나랏일은 그들에게 맡기고 지금 당장 떠나자."

"제가 아버지의 마음을 아프게 했어요. 너무 죄송해요."

홍수가 흐느끼고 있는 선을 달랬다.

"아비가 너를 위해 할 수 있는 일이라곤 이것밖에 없어 정말 미안하다."

"그런 말씀 하지 마셔요. 아버지가 옆에 계시니 더없이 행복해요."

홍수와 선이 낚시도구를 주섬주섬 챙겨가지고 대련사로 들어가자 대련사 주지 각종(覺從)의 예불 소리가 봉수산 기슭으로 울려 퍼졌다. 하지만 의각이 없는 대련사는 어제의 대련사가 아닌 것처럼 황량했다. 홍수와 선은 부처님께 마지막 이별을 하듯 극락전의 삼층석탑에 합장을 하고, 대련사를 소리 소문 없이 빠져나갔다.

스승님을 만나러 가는 지수신과 율의 마음은 무거웠다. 장수들이 자신들의 임지로 떠난 뒤 조석으로 찾아뵈었지만 눈길 한 번 주지 않고 무한천에서 강태공마냥 낚시질만 하고 있었다. 오늘만은 그 이유를 알아야겠다고 생각하면서 대련사로 들어가는데 각종의 목소리가 귓전을 울렸다.

"두 분이 대련사를 떠났으니 오실 필요가 없습니다."

지수신의 얼굴색이 변했다.

"스승님을 뵈러 왔는데 그 무슨 말씀입니까?"

"소승이 아침 예불을 드리고 와보니 두 분이 보이지 않았습니다."

"보이지 않다니요. 다른 이상한 점은 없었습니까?"

"방 안에서 서찰을 발견했습니다. 보십시오, 서찰을…."

각종이 서찰을 지수신의 손에 쥐어주고 극락전으로 발길을 돌렸다. 서찰을 읽어본 지수신은 한숨을 내쉬었다. 선을 내팽개치듯 대련사에 머물게 한 지난날이 후회스러웠다.

내가 없어도 너의 용병술과 복신의 영도력이면 백제는 다시 일어설 것이다. 나라의 기틀이 바로 섰으니 이제 모든 것을 훌훌 털고 천관산에 들어가 선과 못다 한 부정을 나누고자 한다. 공주님께도 잘 말씀드려라.

"스승님이 선을 데리고 천관산으로 떠났습니다. 다시는 못 뵐 것 같습니다."

지수신의 힘없는 목소리에 율은 가슴이 철렁했다.

"서찰 한 장 달랑 써놓고 떠나시다니 너무해요."

"섭섭해 하실 필요가 없습니다. 우리가 스승님을 도와드리는 것은 스승님의 마음을 편하게 해드리는 것입니다. 선도 마찬가지고."

율은 지수신을 넌지시 떠보았다.

"선이 사형을 어떻게 생각하는지 알고나 있어요?"

"잘은 모르지만 남자로 생각하고 있는 것 같습니다."

별안간 율의 눈시울이 뜨거워졌다. 친 혈육처럼 또 한편으로는 견제도 했지만, 믿을 수 있는 사람은 선밖에 없었고 지수신에게도 미안했다. 다른 여인에게 눈길 한번 허락하지 않았다. 율의 눈길이 미치는 곳이 지수신이 숨 쉴 수 있는 공간이었다.

"사형의 마음을 아프지 않게 하려고 천관산에 갔어요."

"알고 있습니다, 공주님."

"알면 무엇 해요, 선을 다시 만나면 잘해주셔요. 그리고 사형, 문사가 알면 가만히 있지 않을 텐데…."

"사실대로 말할 수밖에요, 저와 관계된 사실만 빼고."

"아직도 정신을 못 차리는군요. 문사도 눈치채고 있어요."

지수신은 율의 손을 잡았다.

"세손은 잊어버리십시오. 사람의 정은 억지로 되지 않습니다. 제가 동정하듯 선의 눈빛을 가슴으로 받아들일 수는 없지 않겠습니까? 제 가슴속에는 오로지 이 손의 주인밖에 없습니다. 그 이상을 하라면 저의 능력 밖입니다. 조금만 참고 기다려 봅시다."

"제가 사형을 왜 탓하겠어요. 선에게는 미안하지만 이 순간만은 행복해요."

율은 앞날을 예단할 수 없으나 지수신이란 듬직한 사내를 독차지했다는 생각에 마음만은 날아갈 듯이 뿌듯했다.

흑치상지는 지수신에 대한 분노로 임존성에 머물고 싶어도 머물 수가 없었다. 결국 같은 병을 앓고 있는 문사를 데리고 가림성에 왔다. 그러나 문사는 세손답지 않게 가림성에 온지 하루도 안 되어 얼굴에 그늘이 지기 시작했다. 흑치상지가 문사의 속내를 떠보았다.

"선 낭자의 가슴속에 다른 사람이 있는 것 같습니다. 그게 누군지는 모르지만."

문사가 목소리를 높였다.

"정말 몰라서 묻습니까? 바로 지수신입니다."

흑치상지가 못 믿겠다는 듯이 말했다.

"그런 사실을 공주님도 알고 계시는지요, 세손마마?"

"고모님이 누군데요. 제일 먼저 알고 계십니다."

"그래서 선 낭자가 대련사에 머물고 있었군요."

"장군이 알고 있는 것처럼 지수신을 생각하면 할수록 화가 납니다."

"그래도 세손마마는 선 낭자와 잘 통하지 않습니까? 공주님은 말도 못 붙이게 합니다."

"고모님이 장군 같은 장수를 두고 지수신에게만 목매는지 그 이유를 도대체 모르겠습니다."

"그런 말씀은 태자 저하도 하셨어요. 하나 다른 방법이 없었습니다."

문사도 흑치상지가 왕실 가족이 되는 것을 원했지만 고모가 망부석처럼 움직이지 않고 있으니 마음만 답답했다.

"장군이 찾지 못해서 그렇지 방법은 어딘가 있을 겁니다. 하니 다시 한번 시도해보십시오."

흑치상지의 얼굴에 그늘이 졌다.

"제 생각 마시고 선 낭자나 잡으십시오. 안 되면 가림성으로 끌고 오던지."

흑치상지의 말에 문사가 반신반의했다.

"그게 쉽게 되겠습니까? 낭자의 곁에는 좌평이 있습니다."

"가림성에 가자고 좌평에게 한번 해보십시오. 좌평만 가림성에 온다면 태자저하와 세손마마의 앞길을 소장이 준비할 수 있습니다."

어둡던 문사의 얼굴이 밝아졌다. 흥수가 가림성에 올지 모르지만 자신을 대하는 눈빛은 따뜻했다.

"장군의 그 말씀을 들으니 살맛이 납니다. 장군을 위해서 아니 아버지를 위해서 임존성에 다녀오겠습니다."

문사는 흑치상지의 등에 떠밀려 가림성을 나왔다. 그리고 황금새의 전설이 깃든 대조사(大鳥寺) 미륵석불을 향해 두 손 모아 합장을 했다. 나라의 부흥이 불같이 일어나길 빌고 아버지인 태자가 하루빨리 돌아와, 나라의 대통을 이어받길 빌었다. 그리고 연모하는 여인이 자신의 마음을 받아주길 기원했다.

6월이 접어들면서 봉수산의 산하가 짙은 녹음으로 뒤덮였다. 하늘도 푸르고 임존성의 성곽도 푸르니 병사들의 얼굴에도 생기가 돌았다. 하지만 지수신은 아니었다. 웅산성의 병사가 부복했다.

"성주님, 신라에 변고가 생겼습니다. 웅진성의 호곡 소리가 보름 동안 계속되고 있습니다."

"호곡 소리라, 김유신이 죽었단 말이냐?"

"김춘추가 죽었다 합니다. 정진 장군의 친서를 보십시오."

"김춘추가 죽다니, 이리 내라."

김춘추가 죽었다면 가볍게 생각할 일이 아니었다. 흥분과 설렘 속에서 지수신이 친서를 읽기 시작했다.

우리의 불구대천의 원수 김춘추가 두량윤성의 패전으로 울화병이 도져 죽었습니다. 웅진도독 유인원이 웅진성의 성루에 조기를 걸고 보름 동안 애도를 하고 있습니다. 이 황금 같은 기회를 이용해 웅진성을 탈환합시다.
웅산성 정진.

지수신은 하늘의 뜻을 가늠할 수 없었다. 한마디로 사람의 운명이 하늘에 떠 있는 조각구름만도 못했다.

“사타상여 장군, 김춘추가 죽었다 하오. 비록 우리가 죽이지 못 했지만 속이 다 후련하오. 한데 정진 장군이 출병을 거론하고 있소. 어찌하면 좋겠소?”

“김춘추가 죽었다고 하나 웅진성에 유인궤가 버티고 있는 한 출병은 어렵습니다. 우리 병력도 주류성과 가림성으로 분산되어 있어 잘못하면 역으로 당할 수 있습니다. 출병할 시기가 적절치 않습니다.”

사타상여의 말처럼 전쟁에 시달린 백성들의 고초가 상상을 초월했다. 오직 나라를 다시 찾으려는 염원과 인내심 하나로 버텨 왔다.

“더 이상 생각하면 무엇 하겠소. 정진 장군에게 우리의 뜻을 전하겠소.”

지수신이 고심을 거듭하면서 출병의 시기를 저울질하고 있는데 문사가 불만이 가득 찬 얼굴로 나타났다.

“성주님, 선 낭자가 어디로 갔습니까? 대련사도 없고 임존성에도 없으니.”

“소장도 뒤에 알았습니다만 스승님과 같이 천관사로 떠났습니다.”

“그걸 말이라고 하십니까? 성주님이 양다리를 걸치고 있으니 선 낭자가 마음을 잡지 못하고 떠난 것 아닙니까? 떠나겠다면 잡아야지 성주님을 보니 역겹소.”

율은 문사의 질타에 할 말이 없지만 도가 좀 지나쳤다.

"성주님에게 그 무슨 무례한 말이냐? 역겹다니 전후 사정을 알고 말해라."

"고모님께 누누이 말씀드렸잖습니까? 선 낭자의 마음이 다른 사람에게 가 있는데 고모님은 알지 못할 말만 해주시고 이럴 줄 알았으면 가림성에 가지 말아야 했는데…"

"선이 떠난 것을 고모도 몰랐다. 스승님이 서찰 한 장 달랑 써놓고 떠났는데 어찌 안단 말이냐?"

"저는 이해심이 많지 않아요. 고모님도 믿을 수 없고 임존성과 대련사도 지긋지긋합니다. 다시 가림성에 가겠습니다. 당분간 소질을 찾지 마십시오."

문사가 화를 내면서 지휘부를 나가버리자 사타상여는 한숨을 내쉬었다. 자신이 알고 있는 사람 모두 상사병의 주인공이 되었다. 흑치상지도 그렇고, 문사도 예외가 아니었다. 이들의 중심에 선 사람은 지수신이었다. 율의 모습을 바라보니 문사처럼 외롭게 보였다.

"세손마마도 시간이 지나면 공주님의 심정을 알 것입니다. 하니 너무 걱정하지 마십시오."

"그리만 되면 좋겠지만 문사의 성격이 워낙 급해, 무슨 일을 저지를까 겁부터 납니다."

"흑치상지가 잘 해낼 것이니 세손마마는 잠시 잊어버리십시오."

문사가 다시 흑치상지에게 간다면 결코 좋은 일이 아니었다. 두 사람 모두 지수신 때문에 시련을 맛보았다. 사타상여는 흑치상지의 마음을 알면서도 장담을 했다.

검교대방주자사 유인궤가 평양성을 공략하고 있는 당군과 웅진성의 군량을 독촉하기 위해 서라벌에 당도했다. 하지만 신라의 형편도 말이 아니었다. 걸출한 군주 김춘추가 한 많은 삶을 마감했다. 김춘추의 뒤를 이어 즉위한 김법민은 한동안 정신을 차릴 수가 없었다. 나라의 곳간은 비어 있고, 병사들과 백성들은 초근목피로 연명하는 것도 모자라 역병에 죽어나갔다.

또한 잔적들의 발호가 도를 넘어 왜국에 볼모로 잡혀있는 의자왕의 막내아들을 군왕으로 세우려 한다는 소문까지 들렸다. 김법민은 난감했으나 계속 국사를 미룰 수가 없었다. 상복을 입은 채로 어전에 들어가자 유인궤가 열변을 토했다.

"웅진성의 병사들은 군량이 바닥나 성안에 돌아다니는 들쥐를 잡아먹을 지경이고 평양성 공략은 고구려의 철통같은 항전으로 고전하고 있습니다. 웅진성과 평양성에 군량과 지원군을 조속히 보내시오."

이찬 김흠순은 유인궤의 협박에 울분을 터뜨렸다.

"자사 대인의 말씀이 너무 경박하게 들립니다. 선왕의 승하가 불과 백일도 지나지 않았고 나라에 역병이 돌아 수많은 백성이 죽어나가고 있습니다. 더구나 올해는 흉년이 들어 백성들이 초근목피로 연명하고 있는 실정입니다. 이제 신라에는 먹고 죽을 곡식이 한 톨도 없습니다. 자사께서는 신라의 형편을 유념해 말씀해 주시오."

"이찬 대인, 그렇게 백성과 나라를 생각했으면 왜 전쟁을 일으켰소. 일을 벌였으면 끝까지 책임을 져야지, 갖가지 핑계를 대면서 대국을 기만하려고 하니 불쾌하기 짝이 없소. 만약 대왕의 뜻이 이찬 대인의 뜻과 같다면 망국태자 륭으로 하여금 백제 왕통을 잇게 하겠소."

유인궤가 신라 조정을 무력하게 만들었지만 김법민은 다른 신하의 조언을 기다리는지 침묵으로 일관했다. 하지만 유인궤를 내칠 수도 없었다. 더구나 잔적들이 가짜 왕을 세우려 하니 유인궤의 겁박이 현실이 될 수 있었다.

"자사께서는 잠시 말미를 주시오. 조만간 황제의 어지를 받드는 방법을 생각해 보겠소."

"대왕께서 사리판단을 좀 하시는 것 같아 하루의 말미를 드리겠습니다. 조속히 처리해 황제 폐하의 노여움을 사지 마시오."

유인궤가 반 협박조로 말을 내뱉고 어전을 나가버렸다. 김흠순은 기가 막혔다.

"폐하, 유인궤의 무례한 언사를 막을 장수가 없으니 답답하옵니다. 소신이 생각하건대 김유신만이 오늘의 난제를 해결할 수 있사옵니다. 더 늦기 전에 부르옵소서."

김흠순의 입에서 김유신의 이름이 불쑥 튀어나왔다. 부왕보다도 위명이 커 토사구팽이 되지 않았던가? 갓 즉위한 김법민으로서는 버거운 상대였다.

"짐이 부른다 해도 출사한다는 보장도 없지 않소."

"폐하께서 직접 찾으시면 올 것입니다. 망설이지 마옵소서."

"짐이 한번 생각해 보겠으니 경들은 이만 물러가시오."

김유신의 재등용은 권력의 중심이 김유신에게 옮겨간다는 뜻이었다. 김흠순의 얼굴에서 늙은 호랑이를 보듯 중신들이 숨을 죽이면서 어전을 빠져나갔다. 김법민은 내관을 불렀다.

"재매정택으로 가겠다. 빨리 준비하라."

"알겠사옵니다. 폐하."

재매정택은 김유신의 대저택으로 물맛이 좋다는 우물이 있으니 백성들은 재매정이라 칭하면서 부러워했다. 김법민이 미복으로 갈아입고 재매정택에 들어가니 김유신과 지소부인이 반갑게 맞았다.

김유신은 감회가 새로웠다. 군권을 내놓으면 모든 일이 잘될 줄 알았는데 해를 넘기면서 비보의 연속이었고, 나라의 대들보인 김춘추의 죽음으로 정사는 갈피를 못 잡고 비틀거렸다. 주먹을 불끈 쥐었지만 할 수 있는 일이 아무것도 없었다. 그런데 내관으로부터 전갈이 왔다. 조카인 김법민과 독대가 얼마 만인가? 손가락으로 세면서 머리를 조아렸다.

"폐하, 누추한 소신의 집에 어인 왕림이십니까? 받잡기 민망하옵니다."

"짐이 대장군의 집에 온 것은 조카로서 외숙을 뵙기 위해서 온 것입니다. 너무 격식을 차리지 마십시오. 그리고 지소야, 너의 내조가 이 오라비를 구할 것 같구나. 내 외숙에게 부탁이 있어 왔다."

지소는 꽃망울이 피기도 전에 외숙의 후처가 되었다. 말이 남편이지 어릴 적부터 보아온 김유신은 부왕보다도 접근하기가 쉽지 않았다. 정략결혼에 희생양이 된 지소는 수없이 많은 밤을 눈물로 지새웠다. 의무적으로 남편에게 몸의 문과 돌덩이 같던 마음의 문을 열었다.

"밖에 눈들이 많사오니 말씀은 거실에서 나누십시오."

"고맙다, 지소야."

김법민은 지소의 굳은 표정에 마음이 아팠지만 나랏일이 더 급했다. 지소를 따라 거실로 들어가니 김유신이 자리를 권했다.

"이쪽이 상석이니 좌정하십시오. 폐하."

"고맙습니다. 외숙."

김범민이 좌정하자 김유신은 조심스럽게 물었다.

"소신의 집에 오신 연유를 알고 싶습니다. 말씀하십시오, 폐하."

김법민은 군왕의 위엄도 내던지고 김유신에게 무릎을 꿇듯 바짝 다가갔다. 그리고 움푹 들어간 김유신의 눈자위를 살피면서 말했다.

"백제를 정벌했지만 잔적들이 더욱 극성을 부리고 나라에 역병이 돌면서 백성들은 죽어나가니 불민한 조카가 헤쳐 나가기 매우 힘듭니다. 국상 중인데도 유인궤가 군량과 지원군을 달라고 겁박하고 있습니다. 외숙이 도와주십시오."

김유신은 물고기가 물을 만난 듯이 목청을 높였다.

"잔적들의 준동이 도를 넘었지만 소신의 생각은 크게 염려할 것이 없다고 사료됩니다. 복신과 도침이 서로 반목하고 있는 조짐이 곳곳에서 보이고 있습니다. 이를 잘만 이용하면 잔적들의 뿌리를 통째로 뽑을 수가 있사옵니다. 그리고 평양성을 공략하고 있는 당군의 지원은 웅산성(대전)을 함락시켜야만 해결할 수 있습니다. 소신이 웅산성을 함락시키고 평양성으로 가는 길을 열겠사옵니다."

"복신과 도침이 반목하고 있다는 말은 생소하게 들리고 군량도 바닥났습니다. 백성들을 쥐어짠다는 것은 민란을 유도하는 지름길입니다."

"복신과 도침은 소신에게 맡겨주십시오. 웅진성에 보낼 군량은 귀족들에게 할당해야 합니다. 소신이 군량 2천 석을 내놓겠사옵니다."

웅진성에 보낼 군량을 김유신이 먼저 내놓겠다고 하니 그 누가 반대하겠는가? 이보다 더 큰 우군은 없었다. 김법민은 한숨을 돌렸다.

"외숙의 책략을 들으니 가슴에 맺힌 응어리가 한꺼번에 풀렸습니다."

"황공하옵니다. 신명을 다해 폐하를 보필하겠사옵니다."

김법민은 김유신의 손을 잡았다. 오랜만에 잡아보는 손이었다. 어린 시절부터 지켜본 김유신의 위엄은 남산의 금오봉보다 높았다. 이처럼 김유신의 권세를 넘볼 자가 없었지만 그것이 죄가 되어 내칠 줄이야 김유신도 몰랐고 김법민은 더욱 알 수 없었다.

"풀기 어려운 난제가 해결되었으니 이제 궁으로 돌아가겠습니다."

"알겠사옵니다. 폐하."

김법민이 재매정택을 나왔다. 지소와 혈육의 정을 나누고 싶었지만, 정략결혼에 희생양이 된 지소에게 말 한마디 꺼낼 수 없었다. 대문 밖까지 배웅 나온 김유신의 눈빛을 피해 아픈 가슴을 쓸어내렸다. 김법민이 궁궐에 들어서니 궁궐은 어둠에 묻히고 순검을 도는 병사들의 구령 소리가 간간이 들려왔다. 침전에 들어온 김법민은 밀린 피로를 일거에 풀듯이 깊은 잠에 빠져들었다.

풍성한 가을에 접어들자 백제군의 수뇌부가 긴박하게 움직이기 시작했다. 상좌평인 복신과 영군장군 도침을 위시해 가림성의 흑치상지, 임존성의 지수신, 왕실의 맥을 간신히 붙잡고 있는 융이 풍을 영접하기 위해 백강 하구로 말을 달렸다.

지평선 너머에서 날아든 철새들이 군무를 추다가 갯벌에 날개를 접었다. 당군과 백제군의 피비린내 나는 싸움을 잊었는지 파도가 잔잔하고 서풍은 따뜻했다. 또한 황금빛의 넓은 들녘에 참새들이 떼를 지어 날아들자 농부들의 참새 쫓는 고함소리가 청천 하늘에 울려 퍼졌다.

왜선에서 이목구비가 훤칠한 젊은이가 백제군의 수뇌부를 향해 손을 흔들었다. 복신의 눈가에 눈물이 고였다. 선대왕이 망국의 한을 앉고 승하한 지 일 년도 안 되어 나라의 기틀이 마련되었다.

"영군장군, 선상에서 손을 흔드시는 분이 풍 왕자가 틀림없소. 팔년 전에 인질로 가실 때는 어린애였는데 식솔까지 대동하고 오시니 나라가 다시 서는 것 같소."

"맞습니다. 선대왕의 혈육이 왜국에 남아있었으니 망정이지 큰일 날 뻔했습니다."

"풍 왕자를 호위하고 오는 왜병의 사기를 보시오. 지금 싸워도 일당백은 할 것 같지 않소."

"상좌평의 말씀처럼 왜병의 사기가 대단해 보입니다. 하니 이

군세를 몰아 웅진성에 숨어있는 유인원을 때려잡읍시다."

"영군장군은 스님답지 않게 성질이 급하시오. 나라의 주인을 세운 후 생각해도 늦지 않소."

도침은 승복을 벗고 난 뒤부터 성질이 급해졌다. 하지만 도침의 생각처럼 작금의 전황은 만만치 않았다. 율도 대장선을 바라보았다.

"사형, 풍 오라버니의 늠름한 모습을 보십시오. 정말 믿음직스러워요."

"그래요. 마치 젊으실 적 선대왕의 모습을 뵙는 것 같습니다."

"한데 사형, 문사가 보이지 않아요. 흑치상지에게 물어볼 수도 없고 답답해요."

"흑치상지는 저하의 가신입니다. 그러니 마음을 편히 가지십시오."

문사는 풍이 나라의 주인이 되는 것이 못마땅했다. 결국 문사는 백강 하구에 나타나지 않았다. 율은 섭섭하지만 할 수 있는 일이라곤 아무것도 없었다. 그저 지켜볼 뿐이었다.

풍은 왜왕으로부터 극진한 대우를 받았다. 왜왕의 주선으로 결혼도 했다. 마치 왜국 사람이 된 듯했다. 하지만 나라가 망했다는 소문이 바닷바람을 타고 들리더니 귀지가 사신으로 왔다.

"당나라와 신라의 벌레와 같은 군사가 나라를 멸망시키고 대왕을 비롯한 왕족을 모조리 잡아갔습니다. 다행히 살아남은 왕자가 왜국에 있어 나라의 주인으로 삼고자 하옵니다."

귀지의 애끓는 호소에 왜왕은 풍의 귀국을 허락하면서 그의 처와 숙부인 충승(忠勝)을 동행시키고, 왜장 사이노 아지마사(狹井檳榔)와 하다노 다꾸츠(秦田來津)로 하여금 5천여 정예병을 편성해 호위케 했다. 왜선에서 내린 풍은 고국의 하늘과 땅을 바라보았다. 하늘에는 구름 한 점 없고 땅은 풍요로웠다. 고국의 땅을 밟으니 눈물이 앞을 가렸다. 장수들과 백성들이 환호했다.

"풍 왕자 만세. 백제 만세. 복신 장군 만세."

풍이 떨리는 목소리로 화답했다.

"부왕의 유자(有子)가 돌아왔소. 망국의 한을 되씹는 이 몸, 저 파도에 부서진들 무슨 미련이 있겠소. 부왕의 원수를 갚고 나라를 바로 세우겠소."

풍이 무릎을 꿇고 고국의 땅에 입을 맞추자 복신이 머리를 조아렸다.

"숙부가 용렬해 선대왕을 오랑캐에게 욕보이고 나라를 망쳤으니 이 죄를 다 무엇으로 갚겠습니까?"

선대왕을 닮아서 그런지 풍의 목소리가 우렁찼다.

"숙부가 죄가 있다면 조카의 죄는 저 바다보다도 더 큽니다. 그런 말씀 마시고 조카를 도와주십시오."

"걱정 마십시오. 영접 나온 장수들, 모두 왕자님께 충성을 다할 것입니다."

"고맙습니다. 숙부님."

복신이 도열해 있는 장수들을 소개했다.

"이 스님은 소정방의 간담을 서늘케 한 영군장군 도침 선사입니다."

"선사의 법명은 왜국까지 널리 퍼졌습니다. 영군장군."

"칭찬이 너무 과하옵니다. 소승보다도 옆에 계신 흑치상지 장군의 공이 더 크옵니다."

풍은 흑치상지의 손을 덥석 잡았다.

"능력이 부족한 내가 형님을 대신하려니 어깨가 무겁소. 장군이 형님 대하듯 나를 도와주시오."

풍은 볼모로 떠나기 전, 태자궁에서 흑치상지의 모습을 여러 번 목격했다. 형님 곁에 듬직한 장수가 있는 것이 부러웠다.

"미력하나마 최선을 다하겠습니다. 왕자님."

"장군의 그 말씀 내 잊지 않겠소. 정말 고맙소."

"그런 말씀 거두어주십시오. 받잡기 민망하옵니다."

풍의 시선이 율에게 옮겨갔다.

"몰라보게 변했구나. 내가 볼모로 끌려갈 때만 해도 코흘리개였는데…."

"그런 말씀 마셔요. 망국의 한해가 천년 세월보다 길었어요. 부왕이 오랑캐에게 끌려가신 그때 그 순간을 생각하면 지금 당장 혀를 깨물고 죽고 싶어요."

"네 마음을 왜 모르겠느냐? 이제 오랑캐를 몰아내는 일과 사직을 바로 세우는 일만 남았다. 너무 슬퍼 마라."

"저보다 백성들을 먼저 위로하셔요. 그래야만 흩어진 군심을 결집할 수가 있어요. 명심하셔요. 오라버니."

"네 말을 가슴속에 새기겠다. 그런데 네 옆에 있는 장군은…."

율은 마치 죄지은 것처럼 가슴이 뜨끔했다.

"부왕의 친위군장으로 있던 지수신 장군이어요."

"지수신이라면 너를 돌봐준다는 장군이 아니냐?"

풍은 지수신의 모습을 훑어보면서 목소리를 높였다. 왜국에서 볼모살이를 하고 있어도, 고국의 상황은 소상히 알고 있다는 말투였다.

"공주님을 돌봐준다는 말씀은 거두어주십시오. 오히려 제가 공주님의 도움을 받고 있사옵니다."

"소문은 그렇게 들리지 않았소. 어찌 되었건 선머슴처럼 앞뒤를 가리지 못하고 설치는 율을 잘 다듬어주시오."

"제가 어쨌다고요. 귀국하자마자 왜 그래요? 이제 오라버니를 보지 않겠어요."

"너의 성깔은 여전하구나, 하하하."

지수신은 얼굴을 들 수가 없었다. 장수들 보기가 민망했다. 특히 장승처럼 서서 율을 지켜보고 있는 흑치상지의 눈빛이 마음에 걸렸다. 풍은 시선을 돌려, 자신을 호위하고 있는 왜장을 소개했다.

“이 두 장군은 나를 호위하기 위해 온 아지마사와 다꾸츠입니다. 모두 제일 검의 소유자입니다.”

복신이 왜장을 바라보니 눈빛이 칼날 같았다. 아지마사가 먼저 군례를 하였다.

“상좌평의 위명은 잘 들었습니다. 아지마사입니다.”

“아지마사장군, 군왕이 되실 분을 무탈하게 모시고 오셔서 백성들을 대신해 감사드리겠소. 더구나 지원군까지 왔으니 마음이 매우 든든하오.”

“이제 시작입니다. 천황께서 더 많은 지원군을 준비하고 계십니다.”

“왜국의 도움으로 백제국이 다시 선다면 무슨 여한이 있겠소. 거듭 감사하오.”

복신은 다꾸츠에게 시선을 옮겼다. 작달막한 체구지만 얼굴이 다부지게 생겼다.

“장군처럼 젊은 무사가 우리 주군을 보호하고 있는데 누가 감히 범접하겠소? 고맙소.”

“주군을 보호하는 것이 무사가 지닐 본분입니다. 괘념치 마십시오.”

풍이 다꾸츠의 말을 받았다.

“숙부님, 다꾸츠는 왜왕의 친위무사 출신입니다. 잘 살펴주십시오."

다꾸츠가 왜왕의 수족이라는 뜻이었다. 한마디로 풍의 그림자이면서 감시자였다. 율은 풍의 어깨 너머로 왜국 여인을 바라보았다. 마치 조각 인형처럼 몸의 각선이 잘 다듬어진 여인이었다.

"오라버니 저분은…."

"인사가 늦었구나? 나의 처다. 인사해라."

풍의 부인은 야마토(大和)를 대표하는 명가로 지방호족 오(多)씨의 딸이었다. 왕실의 제사를 주관하는 호족으로 왜국의 명문가문이었다. 비록 정략결혼을 했지만 이들의 애정은 남달랐다.

볼모살이를 하고 있는 풍의 안위를 걱정하고, 백제가 망했다는 소식에 풍보다도 더욱 슬피 울었다. 태생적으로 왜국 여인이었지만 백제 여인이 되고자 노력했다. 내조만이 풍을 위하는 길이라고 생각하면서 백제에 왔으나 처음 대하는 장수들의 눈빛과 이국땅이 낯설었다.

"풍 오라버니 동생이어요. 잘 오셨어요, 언니."

오씨부인은 율의 정어린 말에 긴장했던 마음을 내려놓았다.

"공주님의 말씀 많이 들었어요. 앞으로 부족한 저를 도와주셔요."

"나라가 바로 서지 못해 어려워요. 언니가 오라버니를 잘 보필해 주셔요."

"걱정 마셔요. 왕자님은 잘 해내실 겁니다. 저는 믿어요."

오씨부인은 비록 여인의 몸이지만 난국을 이끄는 풍의 위엄보다 크게 보였다. 복신이 주류성 가는 길을 열었다. 풍과 거병한 장수들이 그의 뒤를 따르니 끊어진 물길이 다시 이어진 것처럼 백강의 비단물결이 하늘빛과 어울려 춤을 추었다.

김유신이 다시 군권을 움켜쥐자 웅진도독 유인원으로부터 급보가 왔다. 잔적들이 왜국에서 볼모살이를 하고 있는 풍을 군왕으로 삼았다고 호들갑을 떨었다. 예상은 했지만 전광석화처럼 전황이 급변할 줄은 몰랐다. 잔적들에게 선수를 빼앗긴 김법민이 중신들을 어전으로 불러들였다.

"잔적들이 가짜 왕을 세우고 유인궤가 평양성을 공략하고 있는 당군에게 지원군을 보내라고 계속 요청하고 있소. 더 이상 미룰 수가 없으니 짐이 직접 웅산성을 쳐 잔적의 숨통을 끊을까 하오. 평양성으로 보낼 지원군과 웅진성으로 보낼 군량은 어찌 되었소. 대장군?"

"귀족들이 재산을 털어 아쉬운 대로 5천 석의 군량을 마련했사옵니다. 나라에 흉년이 들었지만 조금은 수확할 수 있어 어려움은 덜었고 역병도 수그러져 2만의 병사를 징병할 수 있었나이다. 하나 국상 중에 친정만은 부왕에 대한 도리가 아니옵니다. 통촉하옵소서."

"짐의 친정은 폭군 주왕(紂王)을 토벌한 주 무왕의 예를 따른 것이요. 승하하신 부왕도 짐의 친정을 허락할 것을 믿어 의심치 않소."

김법민은 중신들에게 유약한 군주로 낙인찍히는 것이 무엇보다도 싫었다. 친정의 칼을 빼 들었다. 김유신이 한발 물러섰다.

"친정에 결연한 의지를 보이시니 더 이상 말리지 않겠사옵니다."

"알면 되었소. 이번 친정에 김품일을 상주총관으로, 자간을 하주총관, 충상을 군사참모로 삼아 대장군을 돕게 하겠소."

김품일은 감격했다. 대당장군에는 못 미치지만 상주총관의 직책도 과분했다.

"소신, 필히 명예를 회복하겠사옵니다."

"그대의 아들 관창이 아니었다면 계백을 쉽게 잡았겠소. 꼭 명예를 회복하시오."

"망극하옵니다. 폐하."

김품일은 황산벌 전투가 생각났다. 목이 잘려, 말 등에 대롱거리면서 온 아들의 핏기 어린 얼굴이 눈에 선했다.

"짐이 쓸데없이 관창을 거론했소. 미안하오."

김품일을 위로한 김법민이 자간과 충상을 바라보니, 자간과 충상이 황급히 무릎을 꿇었다.

"망국의 신하인 저희들에게 공을 세울 기회를 주시니 황감하옵니다. 폐하."

"그대들의 천거는 바로 대장군이요. 대장군에게 감사하시오."

김법민은 항복한 장수가 미덥지 않았으나 김유신이 잔적들을 회유할 수 있는 자는 자간과 충상이 제격이라고 주장했다.

이처럼 김유신은 용병술이 높은 장수만 고집하지 않았다. 임자를 회유한 조미압도 장수의 재목은 아니었지만 백제 정벌에 일익을 담당하였고, 꽃봉오리도 피지 않은 반굴과 관창으로 하여금 계백을 잡게 했다.

16장 / 위령제(慰靈祭)

김법민이 2만 대군을 징집했다는 불길한 소식을 서라벌에 심어놓은 세작이 보내왔다. 영군장군이 김유신에게 항복할 거라는 소문이 서라벌의 하늘을 덮었으니, 영군장군을 주의 깊게 살피라는 당부까지 하였다. 복신은 풍이 보위에 오르고 난 뒤부터 미묘한 갈등에 휩싸였다. 권력은 부자지간에도 나누어 가질 수 없다는 속설처럼 단맛을 좇는 철새들이 복신과 풍 사이를 헤집고 다녔다. 국내 기반이 취약한 풍이 기울어진 나라를 바로 세우기에는 장수들의 입김이 너무 셌다.

풍은 왕권을 강화하고 싶었지만 위상이 높아진 장수들을 다스리기에는 역부족이었다. 복신은 자신에게 모아졌던 백성들의 신망이 빛을 잃자 당황했다. 복신이 조신(操身)하는 마음으로 풍에게 다시 고개를 숙이자 권력을 좇던 철새들도 잠시 날개깃을 접었다. 어전에 들어선 복신이 목소리를 낮추었다.

"폐하, 서라벌에서 급보가 왔사옵니다."

"급보라니 무엇이오."

"김법민이 웅산성의 공략에 친정을 선포했다는 급보이옵니다. 우리 군도 적을 막을 방책을 강구해야 할 것 같사옵니다."

"그렇다면 큰일이 아니오. 상좌평."

"폐하, 심려 마시옵소서. 영군장군으로 하여금 웅산성을 구원케 하시면 될 것이옵니다."

복신은 세작의 보고가 내키지 않았지만 믿을 만한 장수들이 임지에서 적과 대치하고 있어 고심을 거듭할 수밖에 없었다. 전략가인 흥수마저 무슨 이유인지 몰라도 천관산에 들어가 나오지 않고 있었다.

"상좌평이 결정했으면 되었지, 짐의 허락은 무슨…. 알아서 하시오."

"명을 받들겠사옵니다. 폐하."

복신은 풍의 퉁명스러운 대답이 심사를 긁었지만 내색하지 않고 도침의 군영을 찾았다. 도침은 풍이 보위에 오르면 나라가 바로 설 줄 알았는데 생각처럼 되지 않았다. 국내 사정을 모른다 하면서 정사에 초연해하는 척하고, 거병한 장수들을 의심하는 풍의 이중적인 태도가 눈에 거슬렸다. 또한 왜장과 밀담을 하듯이 왜국말로 주고받다가 중신들이 나타나면 말문을 닫았다.

이런 모습을 여러 번 목격한 도침은 어전에 얼씬하지 않고 군영에만 틀어박혔다. 간혹 자신을 따르는 승병과 덕집득이 들락거리면서 불평을 늘어놓았지만 대꾸도 하지 않았다. 그런데 생각지도 않은 복신이 나타났다. 수상한 낌새를 눈치 챈 도침이 조심스럽게 말문을 열었다.

"국사에 바쁘신 상좌평께서 어쩐 일이십니까?"

"김법민이 웅산성을 공략하기 위해 친정을 선포했소."

"상좌평께서 직접 오신 것을 보니 출병을 부탁하러 오신 것 같은데 맞습니까?"

"맞소. 출병을 부탁하오."

"폐하의 지근거리에서 맴돌고 있는 왜장 보기가 역겨웠는데 마침 잘 되었소. 이번에 덕집득을 데리고 가겠소. 어수룩하게 보이나 전략을 구사하는 모습이 다른 장수 못지않소."

"덕집득은 뱀처럼 영악하면 했지 절대로 어수룩한 자가 아니요. 그를 너무 믿지 마십시오. 잘못하면 큰 수모를 당할 수도 있소."

도침은 복신의 행동도 마음에 들지 않았다. 풍이 보위에 오르면서부터 몸을 사렸다.

"상좌평께서 왜 이렇게 소심해졌소? 덕집득 같은 소인배를 걱정하시니…."

"우리가 거병을 할 때는 모두 한 마음이 되었는데 나라의 주인을 세우면서 권력을 쫓는 무리들이 많아졌소. 그 무리 중 하나가 덕집득이오. 아시겠소, 영군장군?"

복신은 도침을 믿고 있지만 세작의 밀서도 믿지 않을 수가 없었다. 도침의 군영을 나온 복신이 부장 사수원을 불렀다.

"이 친서를 정진에게 전해주어라. 이젠 백제를 구원할 장수는 정진밖에 없는 것 같구나?"

"무슨 말씀이십니까? 영군장군이 웅산성을 구원하러 가는데…."

"쉽게 승리를 장담할 수 없다. 친서를 실수 없이 전하기나 해라."

"잘 알겠습니다. 상좌평."

복신은 웅산성으로 떠나는 사수원의 뒷모습을 바라보면서 한숨을 내쉬었다. 잘 될 것만 같았던 풍의 등극이 새로운 불씨가 된 것 같고, 장수들의 마음도 조금씩 틈이 벌어졌다. 결국 서라벌에서 온 세작의 밀서 한 통이 복신의 마음을 미궁으로 빠뜨리었다.

웅산성주 정진이 웅진성으로 가는 보급로를 틀어쥐니 웅진성의 당군이 굶어 죽을 판이고 평양성으로 가는 보급로도 덩달아 안개 속을 헤맸다. 김법민의 친정은 정진이 만든 것이라 해도 과언이 아니었다. 정진은 순간순간 전해오는 척후병의 보고에 긴장했다. 높은 산세에 자리 잡은 웅산성은 철옹성이나 진배없었다. 군량도 반년을 족히 먹고도 남을 분량이 비축되어 있고, 영군장군이 5천의 지원군을 인솔하고 출병했다는 소문까지 들어왔다.

정진이 성루에서 전략을 세우고 있는데 부장이 창백한 얼굴로 나타났다.

"하늘이 무너졌느냐, 땅이 꺼졌느냐? 왜 그렇게 허겁지겁 오느냐?"

"성 내에 이상한 소문이 돌고 있습니다. 성주님께 보고 안 할 수도 없고."

"말을 꺼냈으면 끝을 봐야지 왜 망설이고 있느냐?"

"영군장군이 김유신과 내통하고 있다는 소문이 성안에 파다하게 퍼지고 있으니 답답합니다. 성주님."

"불가의 제자인 영군장군이 무엇이 부족해서 간악한 김유신과 내통하겠는가? 이는 영군장군을 모함하는 자들의 입소문일 것이다. 신라놈들이 코앞에 와 있는데 우리가 그런 헛소문에 현혹되면 사기에 지장이 있다. 즉시 병사들의 입단속을 시켜라."

"그래도 한 번쯤 생각해 보심이…."

"듣기 싫다. 다시 한번 영군장군을 모함하는 소리를 하면 지위고하를 막론하고 엄히 죄를 묻겠다."

정진은 부장을 돌려보냈지만 마음이 찜찜하였다. 영군장군은 황산벌부터 청산성의 전투까지 나라에 대한 충성 하나로 버텨왔다. 마음을 다잡고 신라군의 군세를 지켜보았다.

신라를 상징하는 계림의 깃발이 웅산성의 단풍잎과 어울려 춤을 추고, 창검에서 내품는 살벌한 검기가 웅산성의 성루를 덮었다. 전쟁의 서곡이 남의 일이 아니었다. 병사들이 지레 겁을 먹자 정진은 큰소리로 외쳤다.

"신라군이 코앞까지 왔다고 하나 오합지졸이다. 겁먹지 말라."

정진의 목소리가 메아리가 되어 김유신의 귀에까지 들어갔다. 김유신이 가을빛에 반사된 정진의 모습을 바라보니 용맹과 패기가 넘쳐흘렀다. 하지만 김유신의 표정은 무척 밝았다.

"자간 장군. 도침의 지원군이 오기 전에 곧바로 계책을 시행하시오. 그래야만 폐하의 눈에 들지 않겠소."

"걱정 마십시오. 지금쯤 웅산성에 소문이 돌고 있을 것입니다. 정진의 귀에도 들어갔을 겁니다."

"장군의 계책을 믿고 싶으나 방심은 금물이오. 정진은 만만한 장수가 아니오. 쉽게 생각 마시오."

김유신은 다시 한번 당부하고 말머리를 돌렸다. 자간은 군영으로 돌아가는 김유신의 뒷모습을 바라보면서 긴장했던 마음을 접었다. 신라 조정에서 항복한 장수라는 이유로 일 년을 한스럽게 보냈지만 기회가 찾아왔다. 충상에게 말했다.

"전공을 세워 김유신의 코를 납작하게 만듭시다. 소장이 무식한 정진을 회유해보겠소."

"정진은 죽으면 죽었지 항복하지 않을 놈이오. 너무 시간을 끌지 맙시다."

"걱정 마십시오. 내 생각해 둔 것이 있소."

자간은 충상의 말을 흘려들으면서 웅산성의 성루로 다가갔다.

"정진장군, 나 자간이요. 멸망한 백제에 무슨 미련이 있다고 생목숨을 바치려고 하오. 성문을 열고 우리 폐하를 맞아들이시오. 그러면 장군의 공명을 보장하겠소."

"역적 놈이 주둥이만 살았구나? 나는 비록 재주는 없지만 네놈처럼 철면피는 아니다. 네놈 옆에 있는 놈이 쓸개 빠진 충상이 아니더냐? 초록은 동색이라더니 역적끼리 작당을 했구나, 하하하."

"웃을 일이 아니오. 장군도 소문을 들어 알고 있겠지만 영군장군 도침은 우리 대장군에게 포섭되었소. 웅산성에 미련을 두지 말고 성문을 여시오."

자간이 도침을 물고 늘어졌다. 정진은 조금 전 부장이 하던 말이 생각났다. 헛소문이라 생각했지만 마음 한구석이 허전했다. 그러나 정진은 우직했다. 자간에게 호통을 쳤다.

"영군장군이 나라를 배반할 이유가 없다. 더러운 세 치 혀로 떠들지 말고 네놈이 모시고 있는 김법민이나 오라고 해라."

"도적에 지나지 않는 놈이 하늘 높은 줄 모르고 마음대로 지껄이는구나? 무식한 네놈의 숨통을 끊어주마."

"내가 살아있는 한 웅산성의 함락은 어림없다. 뱀같이 간사한 자간아."

정진이 물러서지 않자 충상이 나섰다.

"나라가 망한 것이 우리가 배반해서가 아니다. 하늘의 뜻인 바 우리는 하늘을 뜻을 따른 것뿐이다. 앞으로 하루의 말미를 주겠다. 그때까지 성문을 열지 않으면 공격할 수밖에 없다."

"네놈들이 천 년을 기다려 봐라. 내가 김법민에게 무릎을 꿇는가?"

"살길을 알려주었는데 죽을 길만 찾는구나, 후후후."

자간과 충상이 정진을 비웃고 군영으로 들어가자 김법민의 얼굴색이 밝아졌다.

"그대들이 정진과 입씨름을 하는 사이 대장군이 웅산성을 포위해버렸소. 이제 날고 긴다는 가짜 중 도침도 웅산성을 구원하지 못할 것이요."

자간이 복명했다.

"조만간 웅산성에서 내분이 일 것이옵니다. 정진은 충직한 자이나 성격이 급해 저돌적으로 덤비는 곰 같은 놈이옵니다. 도침이 접근할 때까지 공격을 잠시 늦추어 주시옵소서."

김유신이 자간에게 당부했다.

"폐하께서 웅산성의 공략을 장군에게 맡겼소. 잘해 보시오."

"고맙습니다. 대장군."

"고맙다니 감사는 폐하께 하시오."

김유신은 자간의 아첨에 가슴이 뜨끔했다. 자신을 지켜보고 있는 김법민의 눈에서 김춘추의 차가운 눈빛을 보았다. 온몸에 식은땀이 주르르 흘렀다. 가을인데도 군영이 후끈 달아올랐다.

정진은 충상과 자간이 눈앞에서 보이지 않자 병사들의 사기를 점검했다, 5천의 병사로 물샐틈없이 성곽을 수비하고 있다지만 신라군 2만을 대적하기는 힘겨울 것 같았다.

또한 병사들이 충상과 자간의 부채질에 괴소문의 실체를 본 것처럼 소곤거리니, 마치 성안은 불에 달구어진 양은 냄비처럼 펄펄 끓었다. 정진이 이렇게 고심하고 있는데 상좌평의 부장 사수원이 나타났다.

"그대는 사수원이 아닌가, 한데 웅산성에는 어떻게…."

"상좌평의 친서를 가지고 왔습니다. 직접 한 번 보십시오."

"지원군을 보내주는 것만으로도 감사한 일인데 친서라니 이리 주게나."

상좌평의 친서를 받아본 정진의 눈이 휘둥그레졌다. 엄청난 내용이 정진의 마음을 얼어붙게 했다.

서라벌에 심어놓은 세작의 첩보에 의하면 영군장군이 김유신과 내통하고 있다고 하오. 이곳 주류성에서 진위를 파악할 수 없으니 답답한 심정이요. 만약 영군장군이 반역을 꾀하면 영군장군을 참하시오. 하지만 적의 간계에 말려들 수 있소. 신중에 신중을 기해 처리하기 바라겠소. 상좌평 복신.

정진의 머릿속이 다시 혼란스러워졌다. 친서를 가지고 온 사수원에게 상좌평의 근황을 물었다.

"요즘 주류성의 분위기는 어떤가? 폐하가 보위에 오르신 후 상좌평과 관계가 심상치 않다고 소문이 돌던데…."

"폐하께서 정사에 밝지 않으시니 상좌평이 조정 대소사를 결정하기가 매우 어려운 형편입니다."

"그렇다면 큰일이 아닌가? 어려운 난제만 쌓여가고 해결 기미는 보이지 않으니 그리고 친서는 잘 받았다고 전해주시게."

"그리 전하겠습니다. 그럼 이만."

사수원은 지휘부를 나갔다. 정진은 친서의 내용이 믿기지 않는지 다시 한번 훑어보았다. 상좌평의 고심이 글자 한 획 한 획마다 역력히 나타났다. 정진은 떨리는 손으로 친서에 불을 붙였다. 친서는 삽시간에 후루룩 타올라 재가 되었다. 정진은 불타버린 친서를 뒤로하고 지휘부를 나섰다.

하지만 정진의 혼란스러운 마음과는 달리 가을빛은 풍요로웠다. 웅산성의 계곡에 먹음직하게 영근 산머루를 따먹으려고, 청설모들이 긴 꼬리를 자랑하면서 나뭇가지 사이로 곡예 하듯 날아다니었다.

웅산성을 구원하고자 출병한 도침의 지원군이 백강을 건넜다. 나당군이 떠난 사비성을 지나 웅산성으로 진군을 하고 있는데 척후를 나갔던 덕집득이 돌아왔다.

"김유신이 자간과 충상을 앞세워 웅산성을 포위했습니다. 웅산성은 이제 바람 앞에 촛불 신세가 되었습니다."

"김유신의 술수가 뱀 같소. 또 다시 역적 자간과 충상을 앞세우다니…."

"자간과 충상도 문제지만 아군의 사기를 꺾은 요사스러운 소문이…"

"요사스러운 소문? 끙끙대지 말고 말해보시오."

"너무 황당한 소문이라…."

도침은 뜸 들이고 있는 덕집득을 다그쳤다.

"참 답답한 사람일세. 책임을 묻지 않을 테니 속 시원히 말하시게."

"영군장군님이 김유신에게 포섭되었다는 소문이 웅산성에 돌고 있습니다."

도침의 분노가 폭발했다.

"어떤 놈이 그런 허무맹랑한 소리를 지껄이고 다닌단 말이냐? 내 그놈을 잡아 쳐 죽이겠다."

"소장도 믿지 않지만 역적 자간이 정진에게 말했다 합니다."

덕집득이 죄지은 듯이 목소리를 낮추자 도침은 김유신의 덫에 걸렸다는 착시현상에 빠졌다. 김유신의 술수에 임자가 조정의 기밀을 빼냈고, 충상과 상영이 황산벌을 내주었다. 자간이란 놈도 부소산성을 헌납했다.

"자간이란 놈은 부소산성이 함락되기 직전 잠깐 마주친 적밖에 없는데 그놈이 그런 말을 해. 그놈의 간을 씹어 먹어도 시원치 않을 것 같소."

"영군장군님의 마음은 우리 병사들, 모두 잘 알고 있습니다. 헛소문을 옮긴 소장을 용서하십시오."

"그런 실없는 소리는 그만두고 저 능선만 넘으면 곧바로 웅산성이오. 하나 신라군이 우리 지원군의 동태를 살피고 있을 거니, 장군이 웅산성의 분위기도 살필 겸 웅산성에 들어가 정진성주에게 지원군의 움직임을 알리시오. 하면 정진성주가 하는 말이 있을 거요. 늦으면 작전에 차질이 생기니 빨리 다녀오시오."

덕집득도 수긍했다.

"맞습니다. 5천의 병사로는 2만의 신라군을 대적할 수 없습니다. 웅산성의 병력과 연합해 장기전으로 가야 합니다. 소장이 웅산성을 다녀오겠습니다."

덕집득은 부장을 대동하고, 오색단풍으로 붉게 물든 웅산성의 능선을 넘기 시작했다. 하지만 덕집득의 머리카락이 고슴도치처럼 곤두섰다. 좌우를 둘러보아도 들어갈 틈이 보이지 않고 지척인 웅산성이 천 리나 된 듯 멀어 보였다.

"부장, 저기 보이는 것이 웅산성의 성문이지만 김유신의 주력부대가 지키고 있으니 성문으로 들어간다는 것은 황천길로 가는 것과 다름이 없다. 하니 성문을 우회해 가파른 능선에 붙어있는 서문으로 가야만 한다."

"서문도 신라군이 포진하고 있으면 어떻게 합니까?"

"너무 겁먹지 마라. 우리 뒤에는 지원군이 있다. 어서 출발하자."

덕집득과 부장이 나뭇잎 스치는 소리도 나지 않게 조심조심

서문을 향해 가고 있는데, 단풍나무 그늘에서 신라군 병사들의 두런거리는 소리가 들렸다.

"대장군께서 왜 웅산성의 공격을 미루는지 자네는 알고 있나?"

"얼핏 들어 알고 있지만 대장군의 깊은 속내야 소인 같은 풋내기가 알겠습니까? 말씀해주십시오."

"도침이 조만간 항복할걸세. 그래서 공격을 멈추고 있네."

"소문이 사실이었군요. 그럼 어떻게 되는가요."

"어떻게 되긴, 도침만 우리 편이 된다면 웅산성은 한 시진도 못 되어 무너질 것일세. 웅산성주 정진은 도침에 비하면 염려할 바가 못 되네. 두고 보게나, 웅산성이 어렵지 않게 우리 수중으로 떨어질걸세."

헛소문인지 줄 알았던 도침의 내통설이 사실인 것처럼 들렸다.

웅산성의 서문은 가파른 능선에 붙어서인지 신라군의 포위가 성문에 비해 한결 느슨했다. 덕집득은 서문을 향해 외쳤다.

"영군장군이 보낸 사자요. 성주님을 만나러 왔소. 서문을 열어주시오."

"장군님, 잠시 기다리시오."

수문장은 덕집득과 부장이 성안으로 들어오자 열었던 서문을 닫아버렸다. 정진이 덕집득을 반갑게 맞았다.

"그렇지 않아도 궁금했는데 잘 오셨소. 한데 지원군은 보이지 않으니 도대체 어찌 된 일이요."

"신라군이 웅산성을 포위하고 있어 지원군을 섣불리 움직일 수가 없었습니다."

"지금 병사들의 사기는 말이 아니오. 빨리 지원군이 웅산성에 들어와 신라군을 막아야 하는데 정말 답답하오."

"영군장군이 성주님의 전략을 듣고서 병력을 움직이겠다고 하십니다. 말씀해주십시오."

"특별한 전략이 있겠소? 웅산성의 병사가 고작 5천에 지나지 않으니 김유신은 콧노래를 부르면서 우리 병사를 농락하고 있소. 더욱 괘씸한 것은 무슨 꿍꿍이 속셈인지 반역자 자간과 충상을 내세워 병사들의 사기를 꺾으려고 혈안이 되어 있소. 지원군이 더 이상 전진하지 못하고 있는 것을 보면 이번 전투가 김유신의 술수대로 끌려가고 있다는 느낌을 지울 수 없소. 영군장군께 빨리 웅산성에 들어오라 하십시오."

덕집득은 신라군의 두런거리는 소리가 생각났지만 정진에게 말할 수가 없었다. 그러자 부장이 불쑥 말을 내뱉었다.

"성주님, 영군장군이 김유신에게 항복할 것이라는 소문이 파다하게 퍼졌습니다. 사실이면 큰일입니다."

"그게 무슨 말이냐? 우리 군의 사기를 떨어뜨리려는 김유신의 술수이라는 것 모르느냐?"

덕집득이 호통을 치자 부장은 작심한 듯 말했다.

"단풍나무 그늘에서 신라군의 떠드는 소리를 들었지 않습니까? 믿지 않을 수가 없습니다."

덕집득는 할 수 없이 신라군의 두런거리는 소리를 정진에게 고했다. 정진은 크게 한숨을 내쉬었다.

"영군장군의 내통설은 웅산성에도 퍼졌소. 영군장군이 들어와도 문제고 밖에 있어도 문제지만, 내통설에 휘말리고 있는 영군장군 말고 지원군에게 무슨 죄가 있소? 장군이 나를 도와주어야겠소."

"성주님의 말씀은 내통설에 무게를 두시는 것 같은데…."

"이번 기회에 영군장군과 김유신을 시험하고자 하오. 장군은 웅산성을 나가 지원군을 몰고 들어오시오. 내가 서문으로 마중 나가겠소. 그때 신라군이 뒤쫓아 와 지원군을 공격하면 영군장군을 믿겠소. 하나 신라군이 길을 터주면 묵계가 있다고 봐야 할 것이니 그 순간을 놓치지 말고 영군장군을 참해야 하오. 상좌평의 뜻이기도 하오."

"그럼 상좌평도 알고 계십니까?"

"상좌평이 모를 일이 있겠소. 다만 확실한 증거가 나타날 시에 참하라는 엄명이오."

"상좌평의 명이라도 영군장군을 참하는 것은 김유신을 도와주는 꼴이 될 것입니다."

"나도 안타까운 마음이 왜 안 들겠소. 작은 희생은 감수할 수밖에…."

정진의 눈가에 눈물이 고였다. 신라군과 싸우기도 전에 자신들의 살부터 도려내는 뼈아픈 순간이 성큼 다가왔다. 덕집득도 마음이 착잡했지만 한탄만 하고 있을 수 없는 노릇이었다.

"성주님의 뜻이 그렇다면 알겠습니다."

"영군장군이 결백하다면 하늘도 도와줄 것이오."

정진이 덕집득을 배웅했다. 덕집득이 따라줄지 모르겠지만 다른 길이 없었다. 도침의 생사여탈을 쥔 정진의 마음은 돌처럼 굳어졌다.

덕집득은 뒤따라오는 부장의 거친 숨소리도 외면한 채 군영으로 달려갔다. 날던 산새도 부스럭거리던 나뭇잎도, 덕집득의 다급한 심정을 눈치 챘는지 숨을 죽였다. 덕집득이 군영에 들어서니 온몸이 구슬땀으로 범벅이 되었다. 또한 길게 나온 턱 끝으로 땀방울이 뚝뚝 떨어졌다.

"지원군을 인솔하고 서문으로 들어오시라 합니다."

"서문이라… 그곳 신라군의 포위 상태는 어떻소."

"험준한 산세에 자리 잡고 있어 신라군이 별로 눈에 띄지 않습니다. 정진 성주가 영접하겠다고 했습니다."

"전장에서 영접은? 실없는 소리 그만하고 지금 당장 출발합시다."

"알겠습니다. 영군장군."

지원군이 진군하는 데도 주변은 예상 외로 조용했다. 도침은 의구심이 들었다.

"우리 지원군이 움직이는데도 신라군이 공격하지 않고 관망만 하고 있소. 장군의 생각은 어떻소?"

"소장도 알 수 없군요. 계속 거리를 두고 따라만 오고 있으니 우리의 작전이 새어나가지 않나 걱정이 됩니다만…."

"너무 염려 마시오, 서문에 다 왔으니."

도침의 말이 끝나자마자 자간이 백기를 들고 나타났다.

"대장군의 말씀만 전하고 가겠소. 영군장군과 맺은 신의를 지키겠다고 하시면서 정진의 수급을 가져오라 했소."

"저런 맹랑한 놈을 보았나, 말하는 것이 가관이구나. 그 자리에 꼼짝 말고 서라. 사지를 찢어 죽이겠다."

"영군장군이 나를 죽인다고 정진이 믿을 것 같소? 하니 빨리 결행하시오."

자간이 도침에게 다시 한번 독촉하고 말머리를 돌리니 서문에서 도침을 지켜보고 있던 정진은 기가 막혔다. 자신의 수급을 가져오라는 자간의 외침에, 도침이 마치 저승사자처럼 보였다. 상좌평의 친서와 웅산성에 불나방처럼 돌아다니는 괴소문이 정진의 가슴을 후벼 팠다. 정진이 수문장에게 명령했다.

"수문장은 영군장군을 영접하라."

"알겠습니다. 성주님."

육중한 서문이 삐거덕거리면서 열리자 병사들이 지원군을 엄호하기 위해 활을 들었다. 하지만 신라군은 보이지 않았다. 정진은 김유신이 술수를 꾸미지 않나 생각하면서 도침을 반갑게 맞았다.

"영군장군이 웅산성에 오시니 이제야 마음이 놓입니다."

"그대와 내가 웅산성을 지키고 있는 한 김유신은 제 풀에 지쳐 넘어질 것이요. 안 그렇소. 정진성주."

정진은 도침의 말을 한 귀로 흘려들으면서 검을 빼 들었다.

"영군장군, 당신의 충성심은 김유신의 내통설에 빛이 바랬소. 상좌평의 명으로 당신의 수급을 취하겠소."

"그 무슨 해괴한 소리냐? 상좌평의 명이라니."

도침의 말이 채 끝나기도 전에 정진이 도침의 목을 내리쳤다. 덕집득도 도침의 가슴을 창으로 찔렀다. 도침은 변명 한마디 못하고 썩은 고목처럼 말 등에서 떨어졌다. 도침의 죽음에 뒤따라오던 지원군이 정진을 에워쌌다. 상황이 생각지도 않게 돌변하자 정진이 지원군을 달랬다.

"영군장군은 김유신에게 포섭된 반역자다. 그래서 상좌평의 명으로 참한 것이다."

도침과 생사를 같이한 지원군이 창검을 들고 광분했다.

"그게 무슨 소린가? 명확한 증거도 없이 해명할 기회도 주지 않고 참살하다니 말이나 되는 소리인가."

"그럼 알려주겠다. 영군장군이 들어올 때 신라군이 공격하지 않고 협조했지 않았던가? 그것이 내통한 결정적인 증거다. 내가 이제부터 그대들의 수장이니 내 명을 따라 신라군을 물리쳐라, 명령에 불복한다면 그대들도 영군장군의 뒤를 따라갈 것이다."

덕집득도 지원군에게 명령했다.

"영군장군은 반역자다. 성주님의 명을 따르라."

승병으로 조직된 지원군은 울분을 터뜨렸다.

"말 같지 않은 이유를 대는 성주놈과 뱀처럼 혓바닥을 나불대는 덕집득을 죽이고 영군장군의 극락왕생을 빌자. 이 땅에 불국토는 사라졌다."

지원군이 정진과 덕집득을 공격했다. 도침의 원수를 갚고자 창검을 휘둘렀다. 도침의 죽음으로 잘 될 것 같던 정진의 생각이 빗나갔다.

"아군끼리 싸우면 모두 죽는다. 영군장군의 죽음은 안타까우나 어쩔 수 없었다. 지원군은 병장기를 내려놓아라."

"도침을 죽인 자는 우리의 원수다. 정진 네놈의 목을 내놓아라."

백제군이 두 패로 나누어 살육전을 벌이고 있는데 성곽을 지키는 병사가 외쳤다.

"성주님, 신라군이 무리를 지어 몰려오고 있습니다. 앞에선 자가 김유신인 것 같습니다."

정진은 지원군과 싸우다 말고 성루로 올라갔다. 지원군도 김유신이란 말에 성루로 올라갔지만 전황이 생각보다 심각했다. 당차로 성문을 부수는 소리가 천지를 진동했다. 벽력거로 돌덩이를 성안으로 날려 보냈다. 김유신이 큰소리로 비웃었다.

"내가 아는 가짜 중놈의 결백을 네놈들이 몰랐다니 정말 어리석은 놈들이구나. 하하하."

신라군도 귀뚜라미처럼 울어대었다.

"잔적들아, 충신을 죽인 놈을 어떻게 믿느냐? 목숨을 부지하려면 항복하라."

대세가 신라군으로 기울었다. 백제군이 전열을 가다듬을 겨를도 없이 신라군이 성안으로 들어왔다. 성루에 올라온 자간이 회심의 미소를 지으면서 말했다.

"정진 이놈아. 지금이라도 늦지 않았다. 검을 버리고 항복하면 옛정을 생각해 목숨만은 보전해주겠다."

정진이 되받아쳤다.

"내가 김유신의 어리숙한 술수에 말려들었지만 네놈처럼 간에 붙었다가 쓸개에 붙은 지조 없는 놈은 아니다. "

정진이 장검으로 자간의 가슴을 내리치자 자간이 창으로 막았다. 이렇게 정진이 혼신의 힘을 다해 자간을 몰아세우고 있는데 충상이 검을 들고 나타났다.

"정진아, 웅산성은 우리 대장군이 점령했다. 더 이상 무모한 짓은 그만두고 항복하라."

"역적 두 놈이 한꺼번에 달려드는구나. 그래 좋다. 내 장검에 죽어라."

정진의 장검이 불을 토하듯 좌우를 날면서 자간과 충상을 공격했지만 하늘은 무심했다. 자간의 창과 충상의 검이 사투를 버리는 정진의 몸을 관통하니 정진이 쓰러지면서 외쳤다.

"내가 어리석어 영군장군을 죽였구나? 구천에 가서 영군장군을 만나면 그의 신발이 되어 죄를 갚겠노라."

덕집득은 쓰러진 정진을 돌아볼 겨를이 없었다. 신라군의 칼부림에 온몸이 피로 물들었지만 살아야겠다는 일념에 성곽을 뛰어넘었다.

임존성을 붉게 물들인 단풍잎이 무한천의 물결과 어울려 한 폭의 산수화를 그리고, 극락전의 풍경이 가을빛에 취해 은은한 소리를 내면서 울었다. 지나간 것은 지나간 것, 자연의 이치는 윤회의 수레바퀴인 것, 오늘도 임존성의 하루가 가을의 정취에 무르익어갔다.

지수신과 율이 연못으로 다가가니 연못 속의 개구리가 물장구를 치면서 반겼다. 송사리도 따사한 가을빛에 몸을 녹이듯 옹기종기 모여 잔물결에 춤을 추었다. 율이 한동안 송사리 떼를 지켜보다가 지수신에게 물었다.

"지금쯤이면 웅산성 전투가 끝날 것 같은데 과연 우리 군이 이겼을까 궁금해요."

"신라군의 수장은 김유신입니다. 영군장군과 정진이 맹장이기는 하나 김유신처럼 술수를 꾸미지 못합니다. 잘못하면 어이없이 당할 수 있습니다."

"영군장군 곁에 덕집득이 있잖아요."

"덕집득은 잘 쓰면 빛을 보지만 잘못 쓰면 도움이 되지 않는 자입니다. 쭉 지켜보았지 않습니까?"

"사형은 덕집득을 못 믿는 것 같아요. 왜 그래요?"

율이 투정하면서 곱게 물든 단풍잎을 주웠다. 자연의 조화는 사람의 능력을 넘어선 것처럼 단풍잎을 고풍스러운 오색 빛깔로 빚어냈다. 율의 양 볼이 단풍잎처럼 붉게 물들자 지수신의 심장이 가파르게 뛰었다.

"공주님을 곁에서 지켜볼 수 있는 것만으로도 행복합니다. 웅산성은 잠시 접어두십시다."

"저도 사형 곁에 있으면 행복해요. 하지만…."

율이 말끝을 흐리니 지수신의 머릿속에 흑치상지의 모습이 주마등처럼 스쳐 지나갔다. 알게 모르게 율의 주변을 맴돌던 그의 눈빛이 지수신을 괴롭혔다.

"공주님 단속을 잘해야겠습니다. 공주님을 넘보는 놈들이 하도 많으니 잘못하면 빼앗길까 두렵기도 하고…."

"사형도 질투를 다 하시네, 후후후."

"그래요. 나도 질투를 한번 해보았습니다. 하하하."

지수신과 율의 다정한 모습을 시샘하듯 단풍잎이 꽃잎처럼 떨어졌다. 웅산성의 전투도 이젠 먼 옛날이야기가 된 듯했다. 풍요로운 가을의 정취처럼 이들의 연정도 무르익어갔으나 사태는 돌변했다. 사타상여가 사색이 되어 나타났다.

"영군장군이 죽었다 합니다. 그것도 적에게 죽은 것이 아니라 정진에게…."

사타상여의 뜬금없는 말에 지수신의 머릿속이 뒤엉키었다.

"영군장군이 정진에게 죽다니 대체 그게 무슨 소리요?"

"웅산성에서 도망쳐온 덕집득이 말했소."

"그자가 임존성에 왔단 말이오, 사타상여 장군?"

"그렇습니다. 부상이 워낙 심해 의관에게 치료받고 있소."

"도저히 믿을 수 없소. 직접 내 눈으로 확인해야겠소."

지수신은 눈앞이 깜깜했다. 그것도 같은 편인 정진에게, 지수신이 사타상여를 앞세우고 별실에 들어가니 의관이 창에 찔린 덕집득의 가슴을 독주(毒酒)로 소독하고 있었다.

"영군장군이 죽었다니 대체 무슨 소리요. 속 시원히 말해보시오."

덕집득은 부상당한 상처에 통증이 오는지 신음소리를 내면서 말했다.

"김유신의 술수에 넘어간 정진성주가 영군장군을 참살했습니다."

"김유신의 술수에 무슨 말인지 모르겠소. 알아듣게 설명해보시오."

"영군장군이 김유신과 내통했다는 소문에… 역적 자간과 충상까지 선동하니 정진성주가 그만…."

"그럼 정진성주는 어찌되었소."

"역적 두 놈과 사투를 벌였지만 결국 당하고 말았습니다."

도침은 나라가 망국에 이르자 불문을 박차고 세속에 나왔다. 오로지 불국토를 이루기 위해 숱한 전장에서 승전도 맛보고 패전도 맛보았다. 복신과 부흥의 불꽃을 일으킨 거봉 중의 거봉이었다.

나라의 운명이 가시밭길을 가는 것처럼 지수신의 마음을 뒤흔들었지만 이것이 끝이 아니었다.

주류성도 웅산성의 함락에 힘이 빠졌는지 더 이상 군사를 일으킬 엄두를 내지 못하고 숨을 죽였다. 임존성으로 들려오는 주류성의 소식은 한마디로 고요했다.

시간이 지나면 아픈 상처도 치유된다는 자연의 섭리처럼 덕집득의 부상도 시간이 지나면서 치유되었다. 지수신은 덕집득의 수척해진 모습보다 도침을 잃은 슬픔이 더 컸다. 율도 도침의 죽음에 가슴이 아팠지만 계속 침묵을 지키는 지수신을 지켜보기엔 시간이 없었다.

“영군장군이 죽었다고 하늘이 무너져요, 땅이 꺼집니까? 사형이 훌훌 털고 일어나야 구천에서 떠도는 영군장군도 우리를 도와줄 것 아니겠습니까?”

“공주님도 한번 생각해 보십시오. 정진성주가 그렇게 경솔한 분이 아닌데…”

“사형은 생각이 많아서 탈입니다. 덕집득이 왜 숨기겠어요. 걱정 말고 믿어요.”

“증좌는 없지만 덕집득 저놈도 영군장군의 죽음에 일조한 것이 틀림없습니다. 폐하가 계신 주류성에 가지 않고 임존성에 들어온 것을 보면…”

지수신과 율이 도침의 죽음을 거론하고 있는데 당사자인 덕집득이 나타났다. 전쟁의 상흔이 얼마나 깊었는지 턱밑으로 지나간 칼자국이 선명했다. 마음이 불편한 지수신이 퉁명스럽게 말했다.

“덕집득장군, 이제 몸도 거의 완쾌 된 것 같은데 주류성으로 가는 것이 좋을 것 같소.”

“성주님도 알고 계시겠지만 상좌평이 소장을 탐탁하게 여기지 않고 계시니 마음이 편치 않습니다.”

“편치 않다니 그 무슨 말씀이요. 상좌평과 폐하께 웅산성의 전투상황을 보고 해야잖소. 너무 늦으면 장군의 목숨을 보전할 수 없으니 지금 당장 떠나시오."

"몸을 돌보지 않고 싸운 장군을 누가 탓하겠어요. 그런 걱정일랑 하지 마셔요."

율의 위로에도 덕집득은 마음이 착잡했다. 웅산성에서 살아남은 자가 없겠지만 앞일은 예측할 수 없고 지수신의 눈빛도 예전의 다정다감한 눈빛이 아니었다.

"주류성에 가서 영군장군의 죽음을 소상히 밝히겠습니다. 성주님."

"잘 생각하셨소. 그것만이 장군이 사는 길이요."

덕집득이 내쫓기듯 주류성으로 떠나자 율은 답답한 심정을 토로했다.

"나라가 바로 서기도 전에 장수들끼리 내분이 일어날 조짐이 보이고 있어요. 이를 어떻게 막아야 할지 모르겠어요."

"제 생각도 공주님과 같습니다. 영군장군의 죽음이 바로 내분의 시초로 볼 수 있습니다."

"풍 오라버니가 오시면 잘될 줄 알았는데 나라의 앞일이…."

율의 생각처럼 한동안 수면 아래로 잠잠했던 편 가르기가 수면 위로 다시 솟아올라왔다. 한쪽을 치면 다른 한쪽이 일어나는 불만의 씨앗이 독버섯처럼 자라고 있었다.

지수신을 질시하는 흑치상지를 비롯해 상좌평과 불편한 관계인 덕집득이 주류를 이루고, 문사가 풍을 보위에 올린 복신의 처사에 반기를 들었다. 이를 증명하듯 언제 터질지 모르던 화약고가 웅산성에서 터졌다. 내분의 씨앗이 역병과 같은 존재가 되었다.

복신은 꿈속에서 도침을 만났다. 도침이 도끼를 들고 잠자고 있는 복신의 머리 위에서 호통을 쳤다.

"네놈이 김유신의 잔꾀에 넘어가 내 목을 잘랐다. 이번에는 내가 네놈의 목을 칠 차례다."

복신은 도침의 험상궂은 표정에 당황했다.

"내가 영군장군을 죽인 것이 아니오. 정진이 내 명령을 잘못 받아 죽였소. 죄를 물으려거든 정진에게 물으시오."

"이놈 복신아, 추잡한 변명은 하지 마라. 정진이 바로 옆에 있다. 들어보라."

정진이 도침의 말을 받았다.

"상좌평의 어리석은 전략으로 내가 영군장군의 수급을 취했소. 이제 상좌평도 더 이상 구차하게 변명하지 마시오."

저승사자처럼 온기 한 점 없는 정진의 얼굴을 보니 복신은 등골이 써늘했다.

"아니오. 영군장군의 죽음은 내 잘못이 아니요. 정진이 어리석기 때문이오."

"국사를 총괄하는 자가 더러운 주둥이로 변명만 내뱉고 있구나? 내 도끼에 죽는 것이 네놈의 죄를 속죄하는 길이다. 김유신보다 더 교활한 놈아."

복신은 도끼가 목에 닿는 순간, 허공에 두 손을 허우적거렸다.

"영군장군 내가 아니오. 정진이…."

"어리석구나. 복신아, 하하하."

도침이 도끼를 거두면서 조소했다. 정진도 조소하듯 피 묻은 손으로 복신을 가리키면서 웃었다.

복신은 이들의 조소에 잠에서 깨어났다. 복신은 도끼가 닿은 목을 손으로 만져보았다. 아직 때가 안 되었는지 식은땀만 손에 잡혔다. 닭울음소리가 복신의 귓전에 파고들자 어전으로 달려갔다.

"폐하, 급히 아뢸 것이 있사옵니다."

"상좌평의 안색을 보니 어젯밤을 지새웠나 보오. 무슨 일인지 말씀해보시오."

"웅산성에서 순국한 영군장군과 정진의 혼령을 위로하고자 위령제를 지내겠사옵니다. 윤허해 주옵소서."

"좋은 생각이지만 영군장군의 죽음이 명확하지 않소. 어찌 생각하시오."

"영군장군의 죽음은 김유신의 술수에 넘어간 정진의 실책이었사옵니다. 이들의 죽음에 너무 상심하지 마옵소서."

"나라 사정에 밝지 않은 짐이 무슨 말을 한들, 상좌평의 마음에 들겠소. 다만 같은 장수끼리 서로 반목하는 일을 없어야할 것이오."

"망극하옵니다. 폐하."

복신은 어전을 나와 곰곰이 생각해보니 풍이 웅산성의 전투 상황을 소상히 알고 있는 것 같았다. 머리카락이 고슴도치처럼 곤두서고 모골이 송연했다. 하지만 죽은 자는 말이 없는 법, 복신은 더 이상 생각 않기로 마음을 다잡았다. 그런데 죽은 줄 알았던 덕집득이 복신의 눈앞에 나타났다.

"장군, 그간 어디 계셨소? 웅산성을 빠져나오지 못한 줄 알았는데…."

"웅산성을 구원하지 못하고 임존성으로 들어간 소장을 용서해주십시오."

"그게 어찌 장군의 죄란 말이오? 살아 돌아온 것만으로도 다행이오. 마침 폐하께 위령제를 주청하고 오는 길이요. 그러니 나와 함께 폐하를 알현하러 갑시다."

덕집득은 상좌평을 거론하는 정진의 모습이 눈에 선했다. 물어보고 싶지만 자신도 도침을 죽였다. 마치 죄지은 죄인처럼 못 이기는 척하면서 상좌평의 뒤를 따라갔다.

17장

훈풍

초겨울로 접어드니 웅산성의 패전으로 웅진성의 보급로를 열어주었던 백제군이 다시 보급로를 옥죄었다. 맨 먼저 출병을 자청한 장수는 사타상여였다.

"성주님, 웅진성의 보급로를 지켜만 보고 있을 작정입니까?"

"상좌평이 위령제를 끝으로 몸만 사리고 있소. 어찌해야 할지 모르겠소."

"성주님도 주류성의 눈치를 너무 보는 것 같습니다. 병사 5천만 주십시오. 웅진성으로 들어가는 군량을 모조리 뺏어 오랑캐들을 아사시키겠습니다."

초겨울이었지만 무한천의 물고기가 숨도 쉬지 못할 정도로 봉수산의 산하가 얼어붙었다. 이런 맹추위에 출병한다는 것은 죽음을 담보로 하는 것이었다. 지수신은 사타상여의 출병이 내심 걱정이 되었다.

"이 추위에 전쟁을 할 수 있겠소? 출병을 내년 춘삼월로 미룹시다."

"김법민은 평양성을 공략하는 당군에게 지원군과 군량을 대야 하는 고민에 빠져 있습니다. 이때를 놓치면 만사가 끝장입니다."

"장군의 뜻이 그렇다면 건투를 빌겠소."

석성산성에서 도침의 퇴로를 열어주려고 소정방에게 잡혔던 사타상여였다. 나라에 대한 충성과 무장으로서 열정은 지수신에 못지 않았다. 사타상여는 5천여 병사를 연무장에 집합시키고 피

토하는 심정으로 호소했다.

"형제들아, 웅산성의 패전을 설욕하여 영군장군의 한을 풀고 웅진성의 보급로를 끊어 오랑캐를 아사시키자. 그대들의 선봉에 내가 서겠으니 나라에 보은하자."'

"와와. 오랑캐의 보급로를 끊자."

봉수산 계곡에서 불어오는 칼바람이 매서웠지만 병사들의 열기에 칼바람도 비켜갔다. 지수신도 율도 출병하는 병사들처럼 우국(憂國)의 뜨거운 열기에 몸을 녹였다.

성문을 나가는 병사들의 갑옷 위로 함박눈이 떨어지기 시작하자 삽시간에 봉수산의 산하가 눈 천지로 변해버렸다. 대련사의 검은 기와도 은빛으로 변하고 무한천의 물길도 눈에 덮여 사라졌다.

"사형, 출병하는 사타상여와 병사들이 매서운 칼바람을 견딜 수 있을지 걱정이 앞서요."

"사타상여의 용병술은 여타 장수들과 달라요. 틀림없이 승전보를 보내올 것입니다."

"그렇기는 하지만…."

"공주님, 병사들 걱정은 그만하시고 눈길이나 조심하십시오. 잘못하다간 눈 속에 파묻힙니다."

율은 함박눈이 펑펑 내리는 눈길이라 몸을 가눌 수가 없었다. 율의 팔을 잡아주는 지수신도 몸을 가눌 수가 없고, 도침의 극락왕생을 비는 각종의 염불 소리만 극락전의 문틈으로 흘러나왔다. 지수신이 요사채를 바라보면서 회상에 잠기듯이 눈을 감으니 율은 미소를 지으면서 말했다.

"지금 사형의 생각을 맞추어볼까요."

"출병하는 병사들의 개선을 빌고 있었습니다."

"그런데 얼굴색이 왜 죄지은 사람처럼 붉어집니까? 병사들이 아니라 선이 아닐까요."

율의 직감이 예리한 비수처럼 지수신의 가슴속을 파고들었다.

"공주님을 속이는 것은 부처님을 속이는 것보다 힘들군요. 사실 요사채를 바라보다가 선을 잠시 생각했습니다."

지수신의 눈빛이 애잔했다. 백제의 둘도 없는 장수가 오늘따라 여타 뭇 사내와 다를 바가 없었다.

"큰일이야 있겠어요. 스승님과 같이 있으니 걱정 마셔요."

"선은 스승님의 딸이고 동생일 뿐입니다. 이제 다른 사람 눈치 볼 것 없이 찬물이라도 떠놓고 공주님을 내 사람으로 만들어야겠습니다."

"오늘 한 말 잊으면 안 돼요."

"아직도 제 마음을 모르십니까, 공주님?"

"제가 사형의 마음을 모르겠어요? 하나 우리 마음대로 되지 않으니…"

율이 한숨을 내쉬고 있는데 선이 요사채의 문을 열고 나왔다.

"동생이 언제 이곳에…."

"그럴 만한 이유가 있어요. 그리고 같이 온 스님이 있어요, 공주님."

선의 말이 끝나자마자 요사채에서 이순이 됨직한 비구니가 미소를 머금고 나왔다. 지수신은 비구니를 보자 의구심이 들었다.

"혹시 김유신의 정인이었던 천관녀가 아니신지…."

"맞습니다. 하나 김유신과 인연은 애마(愛馬)가 죽은 걸로 끝났습니다. 소승은 불도만 닦을 뿐입니다, 보살님."

지수신은 자신의 귀를 의심했다. 설마 했는데 천관녀가 분명했다.

"스님의 그 말씀은 알겠으나."

선은 지수신의 미심쩍은 표정에 가슴이 뜨끔했다.

"오라버니, 함박눈이 계속 내리고 있어요. 그런 말씀은 요사채에 들어가서 해요."

지수신이 선의 손에 이끌려 요사채로 들어갔지만 마음이 편치 않았다. 더구나 스승님이 어찌 지내시는지 그 뒷일이 궁금했다.

"사매, 스승님은…."

"말씀드릴게요. 오라버니, 아버지는 천관산에 오시자마자 단검 맞은 상처가 도졌어요. 여기 계신 천관스님과 제가 간호했지만 나아지지 않았어요. 그러던 중 도침선사가 죽었다는 소문에 결국…."

천관녀도 홍수의 죽음에 비껴갈 수 없다는 듯이 주름진 눈가에 눈물이 맺혔다.

"그날 그 해안에서 당한 상처가 도진 겁니다. 소승이 백방으로 노력했지만 능력 부족이었습니다. 이게 다 소승과 김유신의 업보 때문입니다. 나무아미타불 관세음보살."

"스승님이 김유신의 업보로…."

율은 그날의 악몽이 머릿속에서 지워지지 않았다. 자객들이 던진 단검을 맞고 쓰러진 스승님을 생각하니 선에게 얼굴을 들 수 없었다. 지수신도 김유신의 업보란 말에 가슴이 먹먹했다.

"스승님이 웅산성의 패전만 없어도 허무하게 돌아가시지 않을 것인데 모두 이 제자의 죄입니다."

요사채에 눈발이 그치지 않고 휘몰아쳤다. 한동안 이들을 지켜보고 있던 천관녀가 침묵을 깼다.

"선의 아버님은 부처님의 곁으로 가셨습니다. 너무 슬퍼하지 마십시오. 그리고 두 분 보살님께 드릴 말씀이 있는데 들어보시렵니까?"

지수신이 반사적으로 물었다.

"말씀하십시오, 스님."

"선의 아버님이 부처님 곁으로 가신 뒤, 선이 비구니가 되겠다고 소승에게 매달렸어요. 하나 소승이 보건대 불제자가 된다 해도 속세의 연을 끊을 수가 없어요. 마치 지난날의 소승을 보는 것 같았어요. 해서 선을 데리고 온 것입니다. 소승이 할 수 있는 일은 여기까지입니다. 그다음은 여기 계신 두 분 보살님의 몫입니다."

"공주님, 미안해요. 비구니가 되려 했으나 스님의 반대로…."

"별걱정 다하네. 이젠 우리하고 같이 살아."

선을 바라보는 율의 따듯한 눈빛에 천관녀가 마음이 놓이는 듯 자리를 털고 일어났다.

"이제 소승은 보살님들의 인연을 부처님께 맡기고 천관산으로 가겠어요."

율이 천관녀의 장삼을 잡으면서 말했다.

"스님, 눈발이 그치면 가셔요. 눈이 쌓이고 있어요."

지수신도 경계심을 가졌던 속 좁은 마음이 부끄러웠다.

"그냥 가시면 섭섭합니다. 잠시라도 임존성에 들어갔다 가시는 것이…."

"아닙니다. 소승이 임존성에 들어가면 두 분 보살님이 오해를 살 수 있어요. 빨리 떠나는 것이 보살님을 위하는 길이고 소승을 위하는 길입니다."

천관녀의 갈 길을 재촉하는지 한동안 극락전과 요사채에 퍼붓던 눈발이 가늘어졌다. 선이 작별을 고했다.

"조심해서 가셔요, 어머니."

천관녀는 딸에게 속삭이듯 말했다.

"선아, 잘 있어라. 남의 것을 탐내지 마라."

"명심할게요. 어머니."

지수신도 천관녀와 작별을 고했다.

"스님, 눈길을 조심해서 가십시오."

지수신과 율이 눈 덮인 오솔길을 걸어가는 천관녀의 모습을 바라보면서 손을 흔들었다.

662년 정월에 들어서니 전세가 백제군으로 기울었다. 얼음장처럼 매서운 한파가 한몫을 톡톡히 하였고, 평양성을 공략하고 있던 당군이 고구려군의 철통방어에 한 발짝도 나가지 못하니 백제군을 돌아볼 여력이 없었다.

또한 사타상여가 웅진성으로 들어가는 신라군을 몰살하고, 군량 5천 석을 뺏었다는 낭보까지 주류성에 들어오자 복신과 풍의 묵었던 감정도 눈 녹듯이 사그라졌다. 풍의 마음이 들뜨기 시작했다.

"웅산성이 함락된 후 짐은 한동안 불면증에 시달렸소. 하나 해가 바뀌면서 어두웠던 전황이 차츰 밝아지는 것을 보니 하늘이 짐을 버리지 않은 것 같소. 안 그렇소. 상좌평."

"맞사옵니다. 이제 웅진성에 숨어있는 오랑캐들이 제 발로 기어 나올 것이옵니다."

"짐이 등극 초에 세상 물정을 몰라 상좌평과 의견 충돌이 많았소. 이제 짐도 등극한 지 반 년 가까이 되니 나라의 근심을 알 수 있소. 상좌평이 짐의 어리석음을 일깨워주고 나라를 반석 위에 세웠소. 고맙소, 상좌평 아니 숙부…."

풍은 한동안 칭하지 않던 숙부란 표현을 서슴없이 하면서 복신의 노고를 치하했다.

"신하를 숙부라 말씀하시니 듣잡기 민망하옵니다. 거두어주옵소서. 그리고 폐하, 당 황제 이치가 유인원에게 백제를 포기하고 철군하든지, 신라에 안위를 부탁하든지, 둘 중에 하나를 선택하라고 했다 하옵니다. 유인원에게 밀서를 보낼까 하옵니다. 윤허해 주옵소서."

"밀서라니 무슨 뜻이요, 숙부?"

"철군하면 공격하지 않겠다는 약속이옵니다. 살기 위해서는 우리의 조건에 목을 맬 수밖에 없사옵니다."

"숙부의 말씀대로 당군이 철군하면 얼마나 좋겠소. 그리하시오."

"폐하, 한 가지 더 드릴 말씀이 있사옵니다."

"무엇이오? 말해 보시오."

"지수신과 율의 국혼을 서둘러야 할 것 같사옵니다. 작년에는 선대왕의 승하로 국혼을 치르기 어려웠지만 올해는 나라가 반석 위에 섰으니 길일을 택해 국혼을 치르면 만백성이 기뻐할 것이옵니다."

덕집득은 지수신의 곱지 않은 눈빛이 생각났다. 이번 기회에 잃어버린 신뢰를 만회하고 싶었다.

"폐하, 지수신과 공주님은 백성들로부터 존경을 받고 있사옵니다. 허락하옵소서."

풍은 율과 한 배에서 태어났지만 볼모살이를 해서 그런지 가까이하지 못했다. 하지만 나라의 주인이 되었고 하나뿐인 누이였다. 임존성에 머물고 있지만 한시도 누이를 잊지 못했다.

"짐의 혈육이 모두 당나라에 끌려가고 남아있는 사람은 율뿐이요. 잠시 율의 외로움을 잊었소. 상좌평은 지수신과 율의 국혼을 서두르시오."

"망극하옵니다. 폐하."

오늘처럼 군신 간에 마음이 통했던 날이 별로 없었다. 복신과 덕집득이 홀가분한 마음으로 어전을 나왔다.

"장군의 지원으로 국혼 문제가 잘 풀렸소. 고맙소."

"상좌평의 말씀을 한마디 거들었을 뿐입니다. 다 폐하의 홍복이옵니다."

"이제 장군도 국사를 논하는 방법을 아는 것 같소. 허허허."

복신의 웃음소리에 덕집득의 얼굴색이 급변했다.

"흑치상지가 공주님을 연모하고 있는 것을 아시지 않습니까? 폐하께서 국혼을 윤허한 것을 알면 가만히 있지 않을 것 같습니다. 잠시 미루는 것이 어떠신지."

"인제 와서 그게 할 소리요? 공주가 흑치상지를 쳐다보기나 했소. 너무 신경 쓰지 말고 임존성에 다녀오시오. 그것이 흑치상지의 마음을 단념시키는 길이오."

"소장의 식견이 짧았습니다. 용서하십시오."

"알면 되었소. 노파심에서 말하지만 너무 앞서가지 마시오."

복신은 답답했지만 덕집득은 이미 풍의 신임 받는 측근 중의 측근이 되었다. 풍의 사냥개처럼 풍의 지근거리를 떠나지 않고 빙빙 돌았다. 눈 뜨고 보지 못할 지경까지에 이르렀으나 풍과 사이에 훈풍이 돌고 있으니 참을 수밖에 없었다.

유인원과 유인궤는 하늘이 무너진 것처럼 한숨을 내쉬었다. 웅산성이 함락되고 난 뒤 열렸던 웅진성의 보급로가 정월이 되면서 다시 얼어붙었다. 소정방에게 항복했던 사타상여가 웅진성을 포위하더니 급기야 신라로부터 오는 군량을 모두 탈취해갔다. 또한 평양성을 공략하고 있던 소정방이 낭장 방효태와 그 자식들을 평양성의 성곽에 묻고 철군해 버렸다.

더욱 갈피를 잡을 수 없는 것은 백제를 포기하고 철군하든지, 아니면 신라에 안위를 부탁하라는 어정쩡한 황명이 백강 물길을 타고 들어왔다. 이에 병사들은 철군 명령이 떨어진 것처럼 짐을 싸기 시작했다. 유인원은 결정하기가 쉽지 않았다.

"장군의 생각은 어떠시오. 황제 폐하께서 정확한 언질을 주지 않고 양단간에 진로를 선택하라는 황명만 내리셨으니 난감하오."

"철군하면 고구려 정벌은 요원합니다. 철군은 절대 불가합니다, 도독님."

"그렇다면 장군, 어찌하면 좋겠소."

"소장이 황제 폐하께 철군 불가를 주청하겠습니다."

"장군의 문장력은 황제 폐하도 알고 계시니 더 이상 걱정 않겠소. 그리하시오."

유인원과 유인궤가 머리를 맞대고 철군을 고심하고 있는데 성문을 지키고 있던 수문장이 나타났다.

"도독님, 복신이 사신을 보내왔습니다."

"사신이라고 누가 왔단 말이냐?"

"귀지라는 자입니다. 어찌할까요?"

유인원은 기가 막혔다.

"아니 장군, 우리 군세를 잔적들이 얕잡아보는 것 같소. 잔적 무리가 사신이라는 명칭을 쓰는 것을 보면…."

"도독이 알고 계시는 것처럼 우리에게는 시간이 별로 없습니다. 일단 만나보십시오."

"내 그리하겠소."

수문장의 안내로 사신이 들어왔다. 지천명이 넘을까 말까 머리가 반백이었다. 하지만 사신으로서의 외교술을 말해주듯 눈빛이 칼날처럼 매서웠다.

"그대가 복신이 보낸 사신인가?"

귀지는 유인원의 거만한 말투에 비위가 상했다.

"나는 상좌평이 보낸 사신이 아니오. 군주이신 풍왕이 보냈소. 아무리 오랑캐라고 하나 일국의 사신을 영접하는 태도가 심히 불쾌하오."

"이놈아, 누가 오랑캐고 누가 잔적의 괴수를 군주로 인정했단 말이냐? 살고 싶으면 할 말만 하고 냉큼 돌아가라."

유인원은 발밑에 지나가는 지렁이 보듯 귀지를 대했지만 귀지는 외교술의 대가답게 유인원을 몰아세웠다.

"그대에게 살 자리를 만들어 주려 했는데 안 되겠구나. 죽고자 하는 자에게 더 이상 무슨 말을 하랴. 내 돌아가 네놈의 무례를 하나도 빼놓지 않고 전하마."

유인궤가 귀지의 손을 잡았다.

"도독께서 사신을 한번 시험해 보신 것이오. 너무 섭섭하게 생각 마시오."

유인원도 통박했던 때와는 달리 부드럽게 대했다.

"내 그대를 한번 시험해 보았소. 미안하오. 그런데 무슨 일이요?"

"도독께서 그리 말씀하시니 조금 전의 무례를 탓하지 않겠습니다. 제가 온 목적은 상좌평의 밀서 때문입니다."

귀지로부터 밀서를 받은 유인원이 성난 사자처럼 두 눈에 불을 켰다.

"이놈 귀지야, 상좌평이란 놈의 밀서 내용이 심히 불쾌하다. 감히 도적의 무리인 주제에 황제의 신하를 대사라고 칭했다. 괘씸한 놈."

"왜 그렇게 노하십니까? 밀서를 이리 주십시오."

"이것 보시오. 이놈들이 우리를 도적의 무리쯤 생각하고 있소. 대사라고 칭하면서 우리를 종놈 대하듯 대하는 문장을 보시오."

유인원은 밀서를 내팽기듯이 유인궤의 손에 쥐어주었다.

당군은 우리 백제군에게 포위되어 독 안의 쥐가 되었다. 대사는 언제 서쪽으로 돌아가겠는가? 날짜만 정해 통보하면 복신이 웅진 강구에 나가 석별의 정을 나누겠노라. 상좌평 복신.

유인궤가 유인원을 달랬다.

"철군하는데 길을 터준다는군요. 이보다 기쁜 일이 어디 있습니까? 너무 역정을 내지 마십시오, 도독님."

"장군은 쓸개도 없소? 우리를 얕잡아 보는 밀서를 보고서도…."

"소장에게 생각이 있습니다. 일단 사신을 돌려보내야겠습니다."

"이번 건은 장군에게 맡기겠소. 저놈을 죽이든지 살리든지 알아서 하시오."

유인원은 귀지에게 눈길 한번 주지 않고 지휘부를 나가버렸다. 유인궤가 넌지시 말했다.

"철군에도 절차가 있는 법이오. 하니 상좌평에게 고맙다는 말씀이나 전해주시오."

"도독이 앞뒤를 구분하지 못하니 장군 말대로 될지 의심스럽소."

"소장의 말만 믿고 돌아가십시오. 내 배웅해드리리다."

귀지를 달래 보낸 유인궤가 상소문을 쓰기 위해 붓을 잡자, 마치 학이 날갯짓을 하듯 유인궤의 손이 움직이기 시작했다.

임존성의 봄바람은 포근했다. 칼바람에 출병했던 사타상여의 승전보에 임존성은 생기가 돌기 시작하고, 백성들은 사타상여의 무용담을 입에 올렸다. 더욱 기쁜 소식은 율과 지수신의 혼례를, 국혼으로 치르겠다는 풍의 교지를 덕집득이 가지고 왔다. 하지만 율과 지수신은 미동도 하지 않았다. 망국으로 가던 물꼬를 잠시 돌렸지만 갈 길은 멀고 멀었다.

"도적들이 호시탐탐 엿보고 있는데 국혼이라니 더구나 국혼을 한다는 이유로 임존성을 비워두고 주류성으로 갈 수 없소."

"사형의 말이 맞아요. 국혼을 할 재물이 있으면 굶주리고 있는 백성들에게 나누어주어야 해요."

"두 분이 원하던 것 아닙니까? 폐하가 윤허하신 일인데…."

지수신은 덕집득의 얼굴을 유심히 살폈다. 풍에게 얼마나 세치 혀를 놀려댔는지 영군장군의 죽음도 위령제를 끝으로 잊혀졌다. 풍도 싫고 복신의 처사도 마음에 들지 않았다.

"그렇게 말귀를 못 알아들으시오. 엄동설한에 출병한 사타상여는 아직도 당군과 대치 중이오. 이런 긴박한 순간에 국혼이라니 생각이 있소."

"두 분의 생각이 그렇다면 어쩔 수 없지요."

"아시면 되었소. 폐하께 그리 전해주시오."

지수신의 가시 돋친 말투가 듣기 거북한지 덕집득이 말꼬리를 돌렸다.

"성주님, 성 밖에서 나물을 캐는 처자를 보았는데 그 뒷모습이 선 낭자 같았습니다. 혹시 임존성에…."

"그래요. 천관녀와 같이 왔소."

"혹시 염탐하러 온 것은 아닌지요. 성주님."

"처음 만났지만 장군의 생각처럼 그럴 분이 아니오."

"그러면 무슨 이유로…."

덕집득이 되묻는 순간, 선이 나물 소쿠리를 들고 나타났다.

"장군님이 오셨군요. 정말 오랜만이네요."

"그래요. 정말 오래만입니다. 그런데 아버님은 잘 계시는지요?"

"웅산성이 함락되었다는 비보를 듣고 그만,"

선의 입에서 웅산성이 흘러나오자 덕집득의 얼굴에 그늘이 졌다.

"소장의 무능으로 웅산성이 함락되었습니다. 아버님의 죽음에 소장도 일조한 것 같아 마음이 아픕니다."

지수신은 분통이 터졌다. 스승님만 계셨으면 도침의 죽음도 정진의 무모함도 없을 것만 같았다.

"사매, 웅산성은 김유신에게 함락된 것이 아니고 우리 스스로 자멸한 것이다. 이런 불행한 일이 다시 반복한다면 나라의 앞날은 없다. 덕집득 장군도 알고 있을 것이니 너무 슬퍼 마라."

덕집득은 지수신의 눈빛을 살폈다. 지수신의 말 속에 뼈가 들어가 있었다. 온몸에 식은땀이 주르르 흘렀다.

"성주님의 말씀대로 앞만 보고 가기도 시간이 부족합니다, 하하하."

덕집득이 허탈하게 웃자 길게 나온 턱이 유난히 크게 보였다. 선이 덕집득의 턱을 넋 놓고 바라보면서 물었다.

"한데 임존성에는…, 장군님."

"폐하께서 공주님과 성주님의 국혼을 윤허했는데 두 분이 움직이지 않고 계십니다. 낭자께서 도와주십시오."

덕집득이 도움을 청했다. 선도 궁금했다.

"왜 미루셔요. 공주님."

"국혼은 없는 살림에 빚잔치 하는 것과 다름이 없어. 하니 신경 쓰지 마."

선은 이번 기회에 지수신에 대한 미련을 털고 싶었다.

"폐하께서 윤허하시고 백성들도 원하는데, 오라버니."

"지금은 때가 아니야, 조금만 지켜봐 줘."

지수신의 심중을 알았다는 듯 선이 덕집득에게 말했다.

"저도 도움 드릴 수 없네요, 장군님."

"사실 낭자께 기대 안 했습니다. 두 분의 뜻이 워낙 완고하니…."

덕집득의 몰골이 보기 싫어서인지 지수신이 목소리를 높였다.

"이제 쓸데없는 소리 그만하고 폐하께 말씀이나 잘해 주시오."

눈길 한번 주지 않고 말하는 지수신의 모습에 덕집득은 임존성에 더 이상 머무를 수가 없었다. 결국 지수신의 마음을 돌리지 못하고 빈손으로 임존성을 나설 수밖에 없었다.

18장 / 썩은 개

유인궤의 상소문을 가지고 귀국길에 오른 두상이 낙양성에 도착했다. 낙양성의 안팎은 축제 분위기에 후끈 달아올랐다. 강가에서 여인들이 비단 같은 검은 머리를 감기 시작하고, 용선(龍船)이 서로 엎칠락 뒤치락거리면서 경주를 하고 있었다.

전국시대 굴원(屈原)의 죽음을 애달파하는 단오절이지만 또 한편으로는 축제의 장이었다. 두상은 낙양성의 활기찬 정경에 무릉도원이 따로 없다고 생각하면서 고대광실의 대문을 두드리니, 노복이 반갑게 맞았다.

"두상대인이시군요. 어서 들어오십시오."

"아직도 나를 기억하고 있다니 고맙네. 합하는 어디 계신가?"

"후원에 계십니다. 따라오십시오. 두상대인."

두상은 자주 들렸던 소정방의 저택이라 생소하지는 않았으나, 오래간만에 와서 그런지 정원이며 연못의 물 흐르는 소리가 낯설었다. 하지만 붉게 물든 철쭉과 영산홍이 서로 경쟁하듯이 만개(滿開)되어 두상을 반겼다. 두상이 들뜬 기분에 정자를 바라보니 소정방이 불혹쯤 보이는 젊은 사내와 담소하고 있었다.

"합하, 두상이옵니다."

"웅진성에 있어야 할 자네가, 일단 정자로 올라오게."

소정방의 손짓으로 두상이 정자에 올라서니 불혹의 젊은 사내가 의식적으로 시선을 돌렸다.

"합하, 이분은…"

"벌써 잊었는가? 백제의 태자일세. 인사하게."

"망국태자 륭이옵니다. 두상대인."

두상은 소정방과 마주 앉아있는 젊은 사내가 망국태자란 말에 자신의 귀를 의심했다. 소정방의 말이 맞는지 다시 한번 사내를 바라보았다. 웅진방령 예식진의 겁박으로 항복하였던 태자 륭이 분명했다.

"태자가 맞군요. 그런데 이곳에는…."

"합하께 드릴 말씀이 있어서요."

륭은 당나라에 끌려온 지 2년이 흘렀다. 부왕이 승하한 후, 모후도 한 많은 삶을 마감했다. 마지막으로 사택천복까지 죽어 외톨이 신세가 되니 륭은 기댈 곳이 없었다. 그나마 소정방이 가끔 불러주어 고국의 소식을 전해주었는데 고구려 원정길에 올랐다.

결국 소정방이 고구려 원정에 실패하고 돌아와서야 다시 만날 수 있었다. 그런데 생각지도 않던 두상이 불쑥 나타났다. 륭의 마음처럼 소정방도 궁금했다.

"자네가 내 집에 특별히 할 말이라도 있는가?"

"합하, 말씀드리기가 좀."

"그런가, 태자는 잠시 자리를 피해 주겠나."

"그럼 소인은…."

륭은 연못으로 발길을 돌렸지만 온통 신경이 두상에게 가 있었다. 연못에 놀고 있는 물고기를 보는 척하면서 두상의 눈빛을 살폈다. 륭이 자리를 피해주자 두상은 한숨을 내쉬었다.

"백제를 정벌한 합하의 공적이 물거품이 될 것 같습니다. 주류성에 기반을 둔 복신이 의자왕의 막내아들 풍을 군왕으로 삼고, 웅진성을 공략하고 있어 졸지에 당군은 부모 잃은 고아가 되었습니다. 더구나 황제 폐하가 철군하라 하시니 당군은 철군할 수도 없고 신라에 기생할 수도 없는 벼랑 끝에 놓였습니다. 제가 유인궤의 충정 어린 상소문을 가지고 왔습니다."

"황제 폐하께 올리는 상소문을 신하가 볼 수 없지만 백제를 정벌한 장수로서 가만히 있을 수 없다. 송구스럽지만 한번 보겠네."

폐하께서 백제를 멸망시키고 당군으로 하여금 백제의 고토(古土)를 지키게 하였사옵니다. 하지만 잔적 무리들이 자신들의 괴수를 왕으로 세우고 당군을 압박하니 만리타향에 떨어져 있는 당군은 진퇴유곡에 빠져 있사옵니다. 이럴 때 구원군이 온다면 잔적 무리가 스스로 무너질 것이오니, 소신의 진언을 살피시어 웅진성에 구원군을 보내주옵소서.

소정방의 목소리가 자못 심각했다.

"잔적 무리가 나라를 세우면 고구려를 멸할 수가 없다. 유인궤의 전략대로 구원군을 보내 잔적을 토벌하고, 우리말을 잘 듣는 자를 내세워 친당 정권을 세워야 한다. 내가 적당한 먹잇감을 발견했다."

두상은 소정방의 속내를 알 길이 없었다.

"먹잇감이라뇨, 합하?"

"아직도 모르겠는가? 먹잇감은 연못가에서 우리의 눈빛을 살피고 있는 망국태자다. 망국태자를 내세워 정통성이 없는 풍을 견제하면서 잔적들을 와해시키겠다."

망국태자를 귀국시켜 잔적 무리를 와해시키겠다는 고도의 책략이었다. 두상의 얼굴색이 밝아졌다.

"이제야 해결책을 찾은 것 같습니다, 합하."

"알았으면 망국태자의 심기를 자극하지 말게, 결코 우리를 배반할 위인이 아닐세."

소정방은 륭과 두상을 정식으로 인사시켰다. 륭은 두상에 대한 경계심이 사라지자 고국의 현실을 물었다.

"고국의 상황이 어떻습니까? 멀리 떨어져 있으니 답답합니다."

"모르는 것이 약이겠지만 말하겠소. 태자의 동생 풍이 왕위에 올라 잔적의 무리를 이끌고 있소. 마치 적손이라도 된 것처럼 이제 백성들의 마음속에 풍만 있고 태자는 나라를 망친 망국죄인으로 기억하고 있소. 그러니 이곳 낙양에서 눌러사시오."

두상은 고국의 좋은 소식은 전하지 않고 독설에 가까운 소리만 하는데 두상의 말이 틀린 것은 아니었다. 부왕의 유조였지만 자신의 뜻과는 거리가 멀었다. 마음이 불편한 륭은 화제를 다른 곳으로 돌렸다.

“혹시 소인의 여동생 율의 소식은 아시는지.”

“공주와 지수신은 풍을 보위에 올려놓고 임존성에서 웅거하고 있소. 하나 가림성주 흑치상지가 풍의 등극에 불만을 품고 태자가 오시길 기다리고 있소. 지수신과 공주는 이미 태자의 사람이 아니오. 너무 기대 마시오.”

“흑치상지는 소인을 따랐던 장수로 풍의 등극을 싫어했을 겁니다. 하나 이미 등극했으니 저로서는.”

소정방도 흑치상지의 걸출한 모습과 율의 탐스러운 용모가 떠올랐다.

“나도 흑치상지를 잘 알고 있소. 비록 나의 등에 비수를 꽂고 도망쳤지만 뼈대 있는 장수가 틀림없고 지수신은 일찌감치 제거했어야만 했소. 아쉬움이 있다면 공주요. 황제 폐하의 후궁이 되었다면 태자의 위치는 아마 제후를 능가했을 것이요. 참 좋은 기회를 놓쳤소.”

“망국의 태자인 소인은 백짓장 한 장 들 힘도 없습니다. 여동생 율도 문제지만 지수신의 제거라니요. 낙양에서 만 리나 떨어진 임존성의 지수신을.”

“걱정 마시오. 내가 태자의 양 어깨에 날개를 달아주겠소. 태자의 귀국과 구원군의 파병을 황제 폐하께 주청하겠소.”

“믿어도 되겠습니까, 합하?”

소정방은 골치 아픈 잔적 처리에 먹잇감으로 쓰일 륭을 바라보았다. 잘만 쓰면 실체를 드러내지 않고 속만 썩이는 신라왕 김법민을 적당히 견제할 수 있을 것만 같았다. 더구나 평양성을 공략할 때 군량을 풍족하게 대주지 않고 애만 태웠다. 결국 군량이 철군 직전에 당도해 숨을 돌릴 수 있었지만, 잘못했으면 평양성에 뼈를 묻는 최악의 순간이 될 수 있었다.

"내가 생각만 할 사람으로 보이요. 고국에 가면 황제 폐하의 근심을 일거에 제거하시오. 그것이 나에 대한 보답이오."

"거듭 감사드립니다, 합하."

"감사는 결정된 후에 해도 늦지 않소. 태자와 두상은 나를 따라오시오. 황제 폐하께 직접 주청하겠소."

소정방의 뒤를 따라 두상과 륭이 정자를 내려가니 연못가에 만개된 꽃들이 마치 륭의 귀국을 반기는 것처럼 미소를 지었다.

흑치상지는 유인궤로부터 한 통의 서신을 받았다. 태자 륭이 당황제의 신임을 받고 귀국할 것이라는 뜬금없는 소식이었다. 유인궤가 왜 친절을 베푸는지 알 수 없지만 륭이 돌아온다는 소식만은 흑치상지의 마음을 들뜨게 했다.

율과 인연의 끈이 다시 이어질 것만 같았다. 흑치상지가 홀가분한 마음으로 밤하늘을 바라보자 북두칠성의 꼬리별이 율의 미소처럼 반짝거렸다. 흑치상지의 시선이 꼬리별로 옮겨갔지만 서쪽에서 밀려오는 솜털구름에 숨어버렸다. 흑치상지가 꼬리별을 찾아 헤매고 있는데 등 뒤에서 문사의 목소리가 들려왔다.

"범 같은 장군이 아녀자처럼 별자리를 세고 계시는 모습을 보니 장군답지 않습니다."

"잠깐 무료해서요. 그런데 웬 술을 많이 드셨습니까?"

"고아나 다름없는 제가 어디 마음 붙일 데가 있겠어요. 그저 술이나 먹고 술주정 하는 것이 낙이지요, 후후후."

"엄연히 저하가 살아계시는데 고아라니요. 그런 말씀 마십시오."

"정통 세손이 버젓이 살아있는데도 곁가지인 막내 숙부가 왕위에 올랐습니다. 그러니 내가 살아있다 할 수 있겠습니까?"

문사의 생각이 틀리지 않았다. 선이 떠나고 난 뒤, 마음 붙일 데가 없는 문사를 더욱 절망의 구렁텅이로 빠트리는 것은 풍의 왕위 계승이었다. 문사는 풍의 부름에도 가지 않고 오로지 술을 낙으로 삼았다.

"저하께서 세손마마의 이런 모습을 보시면 얼마나 가슴 아프시겠습니까? 자중하십시오."

"아버지가 아신다 해도 어쩔 수 없다는 것을 장군도 잘 알지 않습니까? 잘 처신하고 있는 미치광이를 떠보지 마십시오."

"세손마마의 심정을 모르겠습니까? 잠시 때를 기다리십시오."

"억울하게 잡혀가신 아버지가 돌아온다 하십니까? 다 부질없는 노릇이요."

"이렇게 고주망태가 되어서야 원…. 저런 아들을 둔 저하가 돌아오신들 무슨 일을 할 수 있겠는가?"

흑치상지는 무심코 륭의 귀국을 입에 담았다. 문사는 술주정을 하면서도 흑치상지의 일거수일투족을 놓치지 않았다.

"아니 장군, 아버지가 그게 정말입니까? 속 시원히 말씀해주시오."

"저하의 거취가 주류성에 들어가면 우리 모두 죽습니다. 지수신도 마찬가지입니다. 저하께서 당군의 장수가 되어 조만간 귀국할 것입니다."

"당나라 놈들이 어떻게 아버지를 장수로 삼는단 말씀이오. 믿기 어렵습니다."

"저하를 귀국시켜 주류성의 풍왕을 견제하고 친당 정권을 세우려는 의도입니다. 우리는 이 기회를 잘살려야 합니다."

"제 안목이 너무 짧았습니다. 부끄럽습니다."

"이제 세손마마의 앞길은 가시밭길입니다. 매사 조심해야 합니다."

"그렇다면 장군, 고모님께도 알려야지 않겠습니까? 아버지의 귀국을 아시면 무척 기뻐하실 텐데…."

"임존성의 분위기도 살필 겸 다녀오십시오. 하나 지수신에게는 당분간 비밀로 해주십시오. 그자는 우리 편이 아닙니다."

문사는 흑치상지를 바라보았다. 별빛에 비친 흑치상지의 얼굴에 수심이 가득했다.

"아직 지수신과 고모님의 혼사가 이루어지지 않았으니 포기하지 마십시오. 제가 장군의 전령사가 되겠습니다."

"괜히 헛수고만 하실 겁니다. 관두십시오. 세손마마."

"아니오. 아버지가 귀국하시면 고모님의 마음도 달라질 수 있어요."

문사가 흑치상지의 손을 덥석 잡았다. 이렇게 문사의 젊은 혈류가 흑치상지의 몸으로 전위 되니 흑치상지의 심장이 널뛰듯 뛰기 시작했다.

대지를 시뻘겋게 달구는 여름이 다가오면서 고구려에 화력을 집중했던 당군과 신라군이 다시 백제군으로 화력을 돌렸다.

풍은 민감한 정세에 긴밀히 대처하지 못하고 작은 승리에만 연연했다. 상좌평 복신이 군권을 내놓고 칩거하자 풍은 보라는 듯이 자신에게 맹종하는 자들을 요직에 기용했다.

대표적인 인물이 덕집득이었다. 달콤한 세 치 혀에 길들어진 풍은 덕집득을 달솔로 승차시키고, 신라군과 대치하고 있는 동쪽 방어선의 책임을 맡겼다. 좌평 충승을 비롯한 중신들이 철회를 주청했지만 풍은 가납하지 않았다.

결국 전술의 한계를 드러낸 덕집득은 김유신에게 전략적인 요충지인 지라성(대전시 비래동)과 사정책(대전시 사정동)을 모두 빼앗겼다. 그리고 노장 정무가 병사하자 김유신이 두량윤성을 단숨에 집어삼켰다. 지수신이 한숨을 내쉬었지만 정세는 이보다 더 심각했다. 달솔 금수가 입에 거품을 물고 말했다.

“아군의 사기가 폐하의 잘못된 인사로 한순간에 천 길 나락으로 떨어졌소. 한술 더 떠 허허벌판이나 다름없는 피성(避城, 김제)으로 수도를 옮기려 하오. 이를 어찌하면 좋겠소.”

지수신은 덕집득을 쓰지 말라는 스승님의 당부가 생각났다. 결국 스승님의 우려대로 덕집득이 화근을 만들었다. 지수신은 자탄했다.

“그런 무책임한 수도 이전이 말이나 되는 소리요? 피성은 적의 공격에 한 시진도 버티지 못 할 것이요.”

“내 힘으로는 역부족이었소. 성주님이 말려주시오.”

사타상여가 평소와 다르게 흥분했다.

“금수장군, 역부족이라니 그걸 말이라고 하시오. 서까래에 지나지 않은 자를 대들보로 쓸 적부터 알아보았지만 이렇게 참담한 결과를 가져올지 예측하지 못했소. 애초부터 폐하는 나라를 이끌만한 위인이 아니었소.”

“그런 불충한 언사가 어디 있소. 폐하는 이 나라 군주요. 말을 삼가시오. 사타상여장군.”

“그럼 말 나온 김에 물어봅시다. 망해 버린 나라를 구한 상좌평을 불신하다니 폐하가 하신 일이 도대체 무엇이오."

지수신이 두 사람 사이에 끼어들었다.

"왜들 이러시오. 모두 잘해보자고 하는 일인데 폐하도 상좌평도 나라에 없어서는 안 될 분들이요. 두 분 다 한 발씩 물러나시오."

지수신이 목소리를 높이자 금수가 먼저 사과했다.

"미안하오. 내가 좀 경솔했소."

"난세에는 걸출한 군왕이 나와야 하는데 정말 아쉽소."

사타상여도 마지못해 물러섰다. 지수신은 답답했다.

"금수장군. 반대하는 중신들이 한 사람도 없다니 모두 다 입을 봉하고 있었소."

"반대는 왜장 다꾸츠가 했소. 주류성은 군량을 조달하기 어렵지만 사면이 천혜의 요새로 되어 있어 적의 침략에 대비할 수 있고, 피성은 사면이 평지로 되어 있어 적에게 노출되기 쉽다고 반대를 했으나 결국…."

"무식한 왜장이 아는 것을 군왕이 모르니 덕집득이 하늘 높은 줄 모르고 날뛰는 것이 아니겠소."

금수는 사타상여의 비아냥에 비위가 거슬렸지만 계속 다툴 수만 없었다. 지푸라기를 잡는 심정으로 지수신에게 매달렸다.

"지체할 시간이 없소. 주류성에 가서 폐하를 말려주시오."

"임존성을 비우고 갈 수 없소. 통할지 모르지만 친서를 써드리겠소."

"이왕 쓰려면 폐하의 혈육인 공주님께도 부탁하고 싶소. 그런데 공주님은…."

"대련사에 갔는데 오시면 말씀드리겠소. 하나 상좌평도 못 말리는 수도 이전을 공주님이 막을 수 있을지 모르겠소."

"공주님을 마냥 기다릴 수 없습니다. 하니 제가 직접 말씀드리겠습니다."

"아니요. 내가 대련사를 다녀오겠소."

지수신이 금수를 지휘부에 쉬게 하고 성문을 나가니, 의각과 도침의 환영이 손짓하는 것처럼 대련사의 지붕 위에서 아지랑이가 피어올랐다. 지수신은 마음이 착잡했지만 다른 방법이 없었다. 율에게 친서를 부탁하려고 극락전의 문을 여는 순간, 문사의 목소리가 흘러나왔다.

"낭자, 소리 소문 없이 떠나고 소리 소문 없이 돌아오다니 도대체 어찌된 일이요."

"미처 연락드리지 못했어요. 죄송해요, 세손마마."

"지수신에게 연락하면 되었지 끈 떨어진 왕손에게 연락은…."

문사의 말투에 가시가 돋쳤다. 율이 나무랐다.

"선이 스승님을 따라간 것이지 지수신의 탓이 아니다. 화살을 다른 곳으로 돌리지 마라."

"화살을 돌리다니요, 낭자가 왔으면 조카에도 알려야지 일 년이 다 되도록 연락하지 않은 이유가 도대체 무엇입니까? 고모님.”

“제가 공주님께 부탁했어요. 미천한 소녀가 죄를 짓는 것 같아서 공주님에게 책임을 전가하지 마셔요. 세손마마.”

“변명하지 마시오. 내가 낭자의 마음을 모르겠소.”

“변명이 아니라….”

선이 말끝을 흐리자 율이 다시 물었다,

“임존성에 소식도 없이 웬일이냐? 가림성에 무슨 일이라도 났느냐?”

“났다면 났지요. 곁가지가 뿌리 행세를 하고 있는데 고모님은 아무 일도 아니라고 생각하십니까?”

“우리 왕족은 다 오랑캐에게 끌려갔다. 이제 남아있는 선대왕의 핏줄은 주류성의 폐하밖에 없다.”

문사가 태자의 귀국을 넌지시 말했다.

“저는 선대왕의 핏줄이 아닙니까? 아버지가 돌아와 이 사실을 아신다면.”

“태자 오라버니가 돌아온다는 연락이라도 받은 모양이구나. 핏대를 세우면서 말하는 것을 보니.”

“그래요, 오신다고 했어요. 그게 잘못되었나요.”

“어디서 들었느냐? 괜한 소리로 고모를 놀리지 마라.”

“흑치상지가 말했어요. 흑치상지는 고모님을 잊지 못하고 있어요. 고모님이 흑치상지의 마음만 잡아주면 김유신쯤은 손바닥

뒤집기보다 쉬울 터인데…."

"못하는 소리가 없구나? 고모는 지수신과 성혼은 안 했지만 부부나 다름없다. 폐하께서도 윤허하신 일이다."

"가짜 왕이 윤허를. 그럼 아버지가 말리시면 어쩌실 겁니까? 지수신을 믿지 마십시오. 아버지도 지수신을 탐탁하게 여기지 않았어요."

"말을 가려서 해라. 더 이상 너의 말을 듣고 싶지 않다."

"저도 고모님께 더 이상 말씀드리지 않겠어요. 하나 숙부의 잘못으로 신라군과 대치하고 있는 동쪽 방어선이 무너진 것을 알고 계시지요. 그러니 고모님이 선택을 잘해야 해요."

율은 문사의 말이 엄청난 파괴력을 가지고 있다는 사실에 선을 제대로 바라볼 수 없었다.

"동생, 문사가 한 이야기는 잊어버려. 부탁이야."

"걱정 마셔요. 공주님."

지수신은 문틈 사이로 흘러나오는 소리를 더 이상 들을 수가 없었다. 발길을 돌렸다.

임존성에 들어오자마자 금수에게 친서를 써주면서 말했다.

"폐하께 수도 이전 불가를 주청했습니다. 주류성으로 돌아가십시오."

"그래도 공주님을…."

"공주님의 생각도 나와 같소. 하니 이만 돌아가십시오."

지수신이 금수를 내쫓다시피 돌려보냈지만 풍은 중신들의 반대에도 노천 바닥과 같은 피성에 수도를 옮길 것이다. 나라의 대들보인 복신이 왜 침묵만 지키고 있는지 그의 속내를 알 수가 없으나 이보다 더 심각한 것은 태자의 귀국이었다.

이렇게 지수신이 고심을 거듭하고 있는데 율과 문사가 지휘부에 들어왔다. 문사는 조금 전의 일을 잊은 듯이 천연덕스럽게 말했다.

"임존성을 떠난 지가 일 년이 다되었군요. 그동안 무례를 용서하십시오."

"당치 않은 말씀입니다. 세손마마를 잘 모시지 못한 소장의 죄가 더 큽니다."

"힘없는 왕손에게 그런 말씀 마십시오. 듣기 거북합니다."

지수신과 문사의 대화가 이상한 방향으로 흐르자, 사타상여가 분위기를 반전시키려는 듯이 흑치상지의 근황을 물었다.

"세손마마, 흑치상지는 어떻게 지내고 있습니까?"

"알고 계시겠지만 동쪽 방어선이 뚫려 걱정이 이만저만이 아닙니다. 식음을 전폐하다시피 괴로워하고 있소."

사타상여가 화가 덜 풀렸는지 목소리를 높였다.

"상좌평의 말씀대로 덕집득 그놈을 내쳐야 했는데 두량윤성에서 공을 세웠다고 장군 반열에 올려놓았소. 책임지는 사람이 없으니 답답합니다."

지수신은 불쾌했다.

"그것이 죄라면 책임지겠소. 내가 추천했으니…."

"성주님을 탓하는 것이 아닙니다. 폐하의 안목이 좁다는 것입니다."

율도 생각하니 군왕을 조롱하는 것처럼 들렸다.

"폐하를 궁지에 몰지 말고 그쯤 해서 덮어두시오. 사타상여 장군."

"덕집득은 접을 수 있지만 잘못된 결정을 반복해서 내리고 계시니 하는 말입니다."

"잘못된 결정이라니요. 말씀해보십시오."

"수도를 피성으로 옮기겠다고 합니다. 피성은 평야지에 있어 적의 공격에 노출되어 있습니다. 무식한 왜장 다꾸츠도 아는 것을. 나라꼴이 어떻게 될지 모르겠습니다."

"상좌평도 찬성하신 겁니까?"

"폐하와 다투기 싫어서인지 한발 물러서 있습니다. 공주님."

"그게 사실이라면…."

율이 눈을 지그시 감았다. 문사의 말대로 태자 오라버니를 기다리자니 주류성의 풍 오라버니가 걸렸다. 한마디로 썩은 생선을 놓고 싸우는 것처럼 백성들의 웃음거리가 될 것만 같았다.

"임존성을 비우고 갈 수 없어 금수에게 친서를 써주었습니다. 너무 걱정 마십시오. 공주님."

지수신의 말에 사타상여가 발끈했다.

"성주님은 무장답지 않게 참 순진하시오. 폐하께서 주류성을 버렸습니다. 우리는 그 이후를 생각할 시점에 와 있소."

"그 이후라니 그게 무슨 뜻입니까?"

"성주님도 알다시피 폐하는 정세에 어둡고 군주로서 위엄도 없습니다. 잘못하면 백제의 부흥은 피지도 못하고 재가 될 것이요. 그러니 정신을 바짝 차려야 합니다."

"그럼 폐하를 몰아내자는 말씀입니까? 사타상여 장군."

지수신이 화를 내자 문사는 임존성에 와서 대어를 낚은 기분이었다. 보고 싶던 선도 만났다. 사타상여의 심중도 읽었다. 이제 고모만 설득하면 지수신을 힘 안 들이고 아버지의 편으로 만들 수 있을 것만 같았다.

"사타상여 장군의 말씀이 좀 과하신 것 같소. 조금만 더 폐하를 지켜보시오. 그때 판단해도 늦지 않소."

"이런 난국에 기다리다니 생각이 없으신 분이십니다그려."

사타상여가 혀를 차면서 지휘부를 나가버리자 율의 심신이 바닥을 쳤다.

"집에 가서 쉬어야겠습니다. 피곤해요, 사형."

"그렇게 하십시오. 제가 바래다 드리겠습니다."

지수신이 따라나섰지만 힘 없이 걷고 있는 율을 제대로 바라볼 수가 없었다.

"폐하의 결정에 너무 신경 쓰지 마십시오. 몸에 해롭습니다."

"알겠어요. 한데 문사가 많이 변했어요. 흑치상지에게 세뇌당한 것처럼."

"흑치상지가 세손을 이용해 다른 마음을 먹는다 해도 임존성을 끝까지 사수할 것이니 저를 믿으십시오. 공주님."

"그게 사형의 힘으로 되겠어요. 잘못하면 사형만 고립이 될 수 있어요."

"그런 걱정 마시고 오늘 밤은 푹 쉬십시오. 공주님."

지수신이 율의 거처인 초가집에 발길을 멈추니 창문 사이로 희미한 불빛이 흘러나왔다.

"선이 기다리고 있는 것 같아요. 사형도 돌아가서 쉬세요."

"제 걱정은 마십시오. 공주님."

율을 배웅한 지수신이 답답한 마음을 달래려고 정자로 발길을 돌렸다. 하지만 다시 발길을 돌리고 말았다. 정자에서 밀담하듯이 소곤거리고 있는 문사와 사타상여의 모습이 눈에 잡혔다. 이들의 생각을 아는지 들개들이 무리를 지어 짖어대니, 나라의 존망을 가늠할 전주곡처럼 밤하늘에 을씨년스럽게 울려 퍼졌다.

풍은 수도를 피성으로 옮겼다. 피성은 서북쪽으로 사수강(만경강)이 흐르고, 동남쪽으로는 커다란 둑과 깊은 수렁이 구릉처럼 돌고 돌아 물은 맑고 땅도 기름진 백제의 하나뿐인 옥토였다.

특히 서해의 물길과 가까워 왜국과 교역하기가 편하고 물자도 풍부한 지역이라, 진작 수도를 옮기지 않은 것을 후회할 정도였다. 화초처럼 온실에서 자란 풍은 만족했다.

"그대들에게 말하지만 병사들에게 중요한 것은 군량이오. 이곳은 삼한 제일의 곡창지대로 이제 우리 병사는 굶주릴 필요가 없소. 비록 평지성이라고 장수들이 깔보고 있지만 병사가 굶지 않고 배불리 먹는다면 무엇이 두렵겠는가? 이제 병사들의 사기가 하늘을 덮고 남을 것이오."

덕집득이 넙죽 엎드렸다.

"폐하의 탁월한 선택으로 수도 이전은 시기적절했사옵니다. 피성에서 폐하의 위엄을 세우시옵소서."

금수가 덕집득의 아첨에 혀를 내둘렀다.

"저런 간신배에 현혹되어 허허벌판에 수도를 옮긴 것을 선대왕이 아신다면 땅을 치실 것이옵니다. 저놈을 참하고 다시 주류성으로 돌아가십시오, 폐하."

"이놈 금수야, 네놈이 수도 이전을 막으려고 지수신에게 부탁하고 흑치상지에게 손을 벌린 것을 내가 모를 줄 아느냐? 불충한 놈은 바로 네놈이다."

"궁벽한 현에서 술이나 처먹던 놈이 폐하의 성은으로 벼슬길에 올랐으면 자중해야지, 간사한 세 치 혀로 나라를 망치는구나."

"네놈들이 작당해 당나라로 잡혀간 태자를 옹립하려는 수

작을, 내가 입으로 말해야 하느냐? 폐하, 역적은 금수 저놈이옵니다."

태자가 귀국한다는 소문이 백강의 물길을 타고 들어왔지만 풍은 믿지 않았다. 그런데 덕집득이 핏대를 세우면서 말하는 것을 보니 한 귀로 흘려들을 일이 아니었다.

"웅진도독 유인원이 우리의 군심을 헤집으려는 책략이라고 생각하지만 그것이 사실이라면 큰일이다. 그대는 소문의 실체를 밝혀서 짐에게 보고해라."

"소신만 믿으시옵소서. 폐하."

덕집득의 자신만만 대답에도 풍은 마음을 놓을 수가 없었다. 마지막 묘수를 쓰듯이 금수에게 명했다.

"그대도 알고 있는 것처럼 피성에 군량이 풍부하다고 하나 징집할 젊은 장정이 없으니 걷지 못할 늙은이에게 창검을 쥐어줄 정도가 되었다. 왜장 다꾸츠와 왜국으로 건너가 지원군을 요청하라. 왜병으로 강토를 지킬 것이다."

"소신이 폐하의 근심을 덜겠사옵니다."

금수가 읍을 하고 물러서자 풍의 시선이 다꾸츠에게 옮겨갔다.

"장군의 말을 듣지 않고 수도를 옮겼지만 나라의 형편상 어쩔 수 없는 일이었소. 너무 서운해하지 말고 왜왕께 백제의 어려운 사정을 말씀해주오."

"소신은 피성의 형편을 들어 반대했을 뿐이옵니다. 지원군 요청은 염려 마옵소서."

왜국에 갈 사신은 금수와 왜장 다꾸츠로 마무리 지었다.

궁색하고 보잘 것 없던 피성은 풍의 노력으로 점차 안정되어 가는 듯했다. 작지만 집무를 볼 수 있는 어전과 침전을 마련했다. 수군거리던 백성들도 점차 안정되었는지 풍이 성안을 순시할 적마다에 달려와 반갑게 인사를 했다.

이런 반가운 사실을 김유신이 모를 리 없었다. 김유신이 피성을 고립시키기 위해 거열성(居列城, 거창) 사평성(沙平城, 순천) 거물성(居勿城, 남원)을 차례로 함락시키면서 북상했다. 내사지성(內斯只城, 유성)과 덕안성(德安城, 은진)도 김문영이 지휘하고 있는 신라군에 의해 함락 직전에 놓였다.

풍은 전황이 급변하자 덕집득에게 1만의 병사를 주어 김유신을 막게 하고, 주류성에 있는 복신에게 덕안성을 지원하라고 명을 내렸지만 그것도 쉽지 않았다. 유인궤가 복신의 발목을 잡아 버리니 복신은 주류성에 갇혀 나오지 못했다.

결국 김문영이 덕안성을 함락시키고 포로로 잡은 병사 1,070명을 참수해, 덕안성 성곽에 굴비 엮듯이 엮어 놓았다. 결국 풍은 피성으로 천도한 지 두 달 만에 주류성으로 돌아오고 말았다.

663년, 봄이 소리 소문 없이 다가왔지만 복신의 마음은 밝지 않았다. 선대왕이 당나라에 끌려간 뒤 부흥 전쟁을 치르면서 죽을 고비를 수없이 넘겼다. 적은 병력으로 백강을 베개 삼아 배수진을 치고 나당군을 초근목피로 연명하게 만들었던 전황이, 풍이 등장하면서 한순간에 무너졌다.

선대왕의 유조도 있었지만 왕실의 핏줄이라 굳게 믿었는데, 군주로서 면모는 찾을 수 없고 전장에 나가는 장수들을 의심하는 병까지 생겼다. 좌평 귀지를 불렀다.

"귀지공, 어찌하면 좋겠소. 어렵게 세운 나라가 졸지에 망하게 생겼소. 고견을 한번 듣고 싶소."

귀지는 복신의 질문을 예상한 것처럼 좌우를 한번 둘러보았다. 봄비가 겨울에 찌든 추위를 녹이듯 주룩주룩 내렸다. 마치 잠들어 있는 생명을 깨우는 것처럼 은은하게 귀지의 귓전을 울렸다.

"상좌평의 고심은 알겠습니다만 이미 국토가 절반으로 줄었소. 이 시점에서 고견이 어디 있겠소. 물 흐르는 대로 맞길 수밖에…."

"섭섭한 말씀은 그만하시고 저를 좀 도와주십시오."

복신이 애원했다. 중신들과 장수들이 살길을 찾고 있는 현실에 백성들의 신망을 받고 있는 귀지의 협력은 매우 중요했다. 복신의 눈가에 눈물이 맺히기 시작했다. 귀지는 이런 복신의 모습에 마음의 문을 열었다.

"상좌평의 진심을 알았으니 소인이 말하겠소. 상좌평도 알고 계시겠지만 당에 계신 저하께서 귀국하십니다. 그것도 당병을 이끌고요. 우리는 형제들끼리 싸우는 중심에 서게 될 것이오."

"그럼 어떻게 대처하면 좋겠습니까? 말씀해주십시오."

"알고 계시잖습니까? 풍왕은 당할 수가 없어요. 특히 흑치상지를 비롯한 무장들은 저하의 가신이었습니다. 저하의 귀국을 흑치상지도 알고 있을 겁니다. 이제 남아있는 것은 지수신과 공주뿐입니다."

"두 분이 싸우기 전에 화해하시는 방법이 없을까요."

"권력은 부자간에도 나눌 수 없어요. 이제 두 분 중 한 분이 죽어야만 싸움이 그칠 것입니다."

"공의 말씀을 들으니 안개에 싸인 저의 시야가 맑아지는 것 같습니다. 지수신은 제가 잘 압니다. 지수신은 심지가 곧은 장수입니다. 공주가 여자이기는 하나 남자 못지않습니다. 너무 걱정 마십시오."

처마 끝을 타고 떨어지는 낙수 소리가 간간이 이들의 가슴속을 파고들었다.

"상좌평께서 결단을 내리려면 빠를수록 좋습니다. 길면 군심과 민심이 갈라져요. 특히 간신배인 덕집득이 눈치 채지 못하게 하십시오. 그가 알면 모든 것이 허사가 되오."

"처음 만난 그날부터 그자의 위인 됨을 알고 있었지만 지수신과 공주가 감싸고 있소. 다른 방법이 없었소."

복신은 덕집득과 상면할 때가 머릿속에 떠올랐다. 그 초췌한 모습에서 풍겨져 나오는 역한 냄새와 유난히 툭 튀어나온 턱이 온 신경을 자극했다. 마치 더러운 것을 보듯이 복신이 문을 열고 침을 뱉었다.

그러자 문 밖에서 검은 그림자가 스쳐 지나갔다. 복신은 문밖을 의심스러운 눈빛으로 살펴보았지만, 검은 그림자는 간 곳 없고 봄비만 주룩주룩 내렸다.

"무엇이 지나간 것 같은데 참 이상하군."

"무슨 말씀이요. 문밖에 누가 엿듣기라도 했단 말이요."

"아니요. 잠시 덕집득을 생각하다가 헛것을 본 것 같소. 이제 저도 늙었나 봅니다."

"조심하십시오. 덕집득은 만만한 상대가 아니오. 결코 소홀히 생각 마십시오."

"알겠소. 오늘일은 귀지공과 저만이 아는 비밀이오. 입 밖에 내지 마십시오."

"상좌평이나 조심하시오."

귀지가 봄비 사이로 사라지자 복신은 순간적으로 지나간 검은 그림자를 찾듯이 문밖을 다시 한번 바라보았다. 하지만 검은 그림자는 보이지 않고 처마 끝의 낙수 소리만 귀신의 환청처럼 복신의 귀를 파고들었다.

덕집득은 온종일 방안에서 서성거렸다. 봄비가 덕집득을 비웃는 것처럼 오락가락하면서 대청마루에 빗물을 뿌렸다. 금수의 말처럼 궁벽한 고마미지현에서 기생 엉덩이나 두드리며 술독에 빠졌던 촌놈이 어쩌다가 장군 반열까지 올라섰다.

지수신과 율의 도움도 있었지만 풍에게 잘 보이기 위해 온갖 노력을 다했다. 전술 부재로 패장이 되었으나 김유신과 두 번에 걸쳐 싸워도 보았고 수도 이전의 중책도 담당했다.

덕집득은 새로운 돌파구를 찾고 싶었다. 도망갈 구멍을 찾는 것처럼 오락가락 내리는 봄비를 바라보고 있는데, 덕집득의 기원이 하늘에 닿았는지 봄비를 헤치면서 검은 그림자가 나타났다.

"장군님이 우려하신 대로 상좌평이 역모를 꾸미고 있습니다."

덕집득의 눈에서 불꽃이 튀었다.

"그게 무슨 말이냐? 알기 쉽게 말하라."

"폐하와 장군을 내쫓고 태자를 군왕으로 세우려 합니다."

"당나라에 잡혀간 태자가 그렇게 쉽게 온다더냐? 소문은 들어 알고 있지만 어림없는 소리다."

"귀지가 말하는 것을 보니 틀림없사옵니다. 하니 지금 당장 복신과 귀지를 잡아들입시오."

"증좌도 없이 상좌평을 잡을 수 없다. 상좌평이 빠져나가지 못할 확실한 증좌를 찾아오라. 폐하께 상주해 큰상을 내려주겠지만 상좌평은 자네가 생각하는 것처럼 종이호랑이가 아니니 각별히 조심해라.”

“이번 일로 보상을 바라지 않습니다. 다만 원인도 모르게 참수된 도침의 원수를 갚으면 그걸로 족합니다.”

“조금만 기다려라. 내가 구천에 떠도는 도침의 원혼을 달래주겠다.”

“소인, 장군님만 믿고 물러가겠습니다.”

덕집득은 마치 꿈을 꾸는 것 같았다. 복신의 덫에 걸려 죽을 줄 알았던 목숨이 살아났다. 얼굴색이 밝아진 덕집득이 옷을 주섬주섬 갈아입고 어전으로 들어갔다.

“폐하, 사직을 뒤엎으려는 역모가 있사옵니다.”

“뜬금없이 역모라니 누가 했단 말인가? 소상히 말하라.”

“상좌평과 귀지가 당나라에 잡혀간 태자를 옹립하고자 맹약을 했사옵니다. 밀고자는 상좌평의 노비이옵니다.”

덕집득의 입에서 상좌평의 이름이 흘러나왔다. 외교에 능한 귀지까지 가담했다. 풍의 얼굴이 돌처럼 굳어졌다.

“역모를 꾸민 상좌평과 귀지를 잡아 오라. 짐이 친히 문초하겠다.”

“지당한 말씀이오나 지금은 때가 아니옵니다. 확실한 증좌 없이 잡아 오면 상좌평을 따르는 놈들이 모반을 일으킬 수 있사옵니다.”

"그놈들을 모조리 잡아들이면 될 것 아닌가?"

"가림성주 흑치상지, 지수신과 공주님, 태자의 아들 문사가 있사옵니다. 이들을 다잡기는 말처럼 쉽지 않사옵니다."

풍은 문사에게 불만이 많았다.

"문사 그놈은 짐이 보위에 오른 뒤 한 번도 주류성에 오지 않았다. 흑치상지는 태자의 편이 맞지만 지수신과 공주가 태자편이라니 잘못 판단한 것 같다."

"지수신은 너무 강직해 융통성이 없사옵니다. 지수신과 공주를 믿지 마십시오."

"역적 도당의 비수가 목까지 왔는데 마냥 기다리고 있으란 말인가?"

"역적들이 움직일 때를 포착해 일망타진하는 것이 상책이니 너무 서두르지 마옵소서. 폐하."

"짐을 따르는 장수가 없다 보니 어쩔 수 없지만 방심은 금물, 놈들의 움직임을 수시로 보고하라."

"역적 도당을 치는 것은 손바닥 뒤집기보다 쉽사옵니다. 소신을 믿으시옵소서."

덕집득은 자신의 생각대로 풍이 움직이니 콧노래가 절로 나왔다. 이제 노비로부터 좋은 소식만 오면 상좌평은 떼 놓은 당상이라고 생각했다. 옥좌에서 내려다보는 풍이 우습게 보였다.

백강이 뜨겁게 달구어졌다. 가끔 열기를 녹여주는 소나기가 간헐적으로 내렸지만 강물이 용광로처럼 지글거리며 울었다. 백성들은 다시 괴소문에 마음을 졸이기 시작했다.

당군 40만이 잔적들을 토벌하기 위해 출병했다는 비보였다. 백강에 뛰어놀던 의어(義魚)가 강물 속으로 숨기 시작하고, 산천초목이 물줄기를 찾지 못해 노랗게 변했다. 이렇게 전황과 민심이 급변하는 데도 풍은 제 살 깎아 먹는 데만 혈안이 되어 있었다. 덕집득이 복명했다.

"폐하, 복신이 병을 칭하면서 귀지와 그 도당들을 토굴 속으로 끌어들이고 있다 하옵니다. 태자가 오기 전에 복신의 무리를 깨끗이 청소해야 뒤탈이 없사옵니다."

"당군 40만이 출병했다는데 나라의 주춧돌을 빼면 그 뒤를 누가 감당하겠나, 아직 반역했다는 정확한 증좌도 없는데 잠시 미루는 것이 좋을 것 같다."

풍은 의구심이 들었지만 덕집득은 멈추지 않았다.

"복신은 정진을 시켜 영군장군을 죽였사옵니다. 조금만 지체하면 폐하의 차례이옵니다. 당군 40만은 허수에 불과하옵니다. 왜국의 지원군이 곧 주류성에 입성할 것인데 무엇이 걱정이옵니까? 결단을 내리옵소서."

"그렇다면 짐과 함께 복신의 토굴로 가자. 정말로 반역을 꾀하고 있는지 내 눈으로 직접 확인해 보겠다."

풍이 가납하자 덕집득의 얼굴에 살기가 돌았다. 어전을 지키는 친위군 병사에게 호령했다.

"역적을 토벌하러 가는 길에 실수하면 삼족을 멸하겠다. 명심하라."

"알겠습니다. 장군님."

풍과 덕집득이 친위군 병사를 인솔하고 복신의 집에 당도하니 상좌평의 집이라고 생각할 수 없을 정도로 초라했다. 마치 토굴처럼 보였다. 집 뒤에 흙무더기가 쌓여있는데 그곳이 상좌평이 숨어있는 토굴이란 생각이 들었다. 문전성시를 이룬다는 말치고는 토굴 앞이 너무 조용했다. 덕집득이 귀띔을 해주었는지 노비가 무릎을 꿇었다.

"폐하께서 왕림하셨다. 상좌평은 어디 있느냐?"

"토굴 속에 있사옵니다. 장군님."

"누구와 같이 있느냐? 바른대로 말하라."

"조금 전에 좌평 귀지가 들어갔사옵니다."

풍은 앵무새처럼 대답하는 노비의 몰골을 훑어보았다. 도침의 수족이라 눈빛이 얼음처럼 차가웠다.

"네놈이 상좌평의 역모를 고변한 이유가 무엇이냐?"

"폐하. 소인은 도침의 원수를 갚기 위해 상좌평의 노비가 되었사옵니다. 억울하게 죽은 도침의 원수를 갚아주옵소서."

"네놈의 말이 사실이라면 큰상을 내리겠지만 조금이라도 거짓이 드러나면 네놈을 물고기의 밥으로 만들겠다."

"도침의 원수만 갚는다면 물고기 밥이 된들 누구를 원망하겠사옵니까?"

풍은 더 이상 지체했다가는 복신에게 되잡힐 것만 같았다.

"토굴 속으로 들어가 상좌평과 그 속에 숨어있는 놈들을 모조리 잡아라."

"알겠사옵니다. 폐하."

친위군 병사가 토굴 속으로 들어갔다. 잠시 후, 검 부딪치는 굉음과 함께 복신과 친위군 병사의 목소리가 토굴 밖으로 흘러나왔다.

"네놈들은 누구냐? 감히 상좌평의 토굴로 들어오다니 죽으려고 환장을 했구나?"

"상좌평이 역모를 했다는 고변이 들어왔소. 폐하께서 납시어 계시오. 순순히 말을 듣지 않으면 이곳에서 참살하겠소."

"어느 놈이 역모를 했다고 고변했단 말이냐? 내 발로 직접 나가 폐하를 뵙겠다."

토굴 속에서 나온 복신과 귀지는 풍을 보자마자 무릎을 꿇었다. 병을 치료하기 위해 토굴 속으로 들어갔다지만 복신의 모습은 정상인과 다르지 않았다. 복신이 풍의 눈빛을 살피면서 조심스럽게 입을 열었다.

"폐하, 소신이 역모를 꾸미다니 덕집득 저놈이 소신을 모함하고 있사옵니다."

"짐이 죄 없는 숙부를 역모로 몰아 핍박한단 말이요. 사실대로 말하고 용서를 구하시오. 그것만이 숙부가 살길이요."

풍은 다시 귀지에게 호통을 쳤다.

"짐이 네놈의 재능을 아껴 외사좌평에 임명했거늘 상좌평과 역모를. 배은망덕한 놈이 아니냐?"

"폐하, 신이 역모를 했다는 증좌가 어디 있사옵니까? 덕집득의 세 치 혀에 현혹되면 아니 되옵니다."

복신과 귀지가 한 치도 물러서지 않자 풍이 덕집득에게 명령했다.

"이놈들이 발뺌을 하고 있구나. 그대는 이놈들의 역모를 소상히 밝혀라."

덕집득이 복신과 귀지의 역모죄를 나열했다.

"복신의 죄과는 너무나 커 참수하는 것만으로 부족합니다. 웅산성의 전투 때 정진을 시켜 영군장군을 참살하였고, 당나라 끌려간 태자를 옹립하려고 역모를 꾸민 일이며, 폐하를 무능한 군주로 매도해 나라를 난국으로 빠뜨렸사옵니다. 이중에서도 가장 큰 죄는 폐하를 폐하고 태자를 옹립하려한 역모죄옵니다. 좌평 귀지는 복신의 선동에 방조했사옵니다. 증인으로는 복신의 노비이옵니다."

복신은 역모를 고변한 자가 노비였다는 사실에 정신이 아찔

했다. 가랑비가 내리던 봄날 귀지와 시국을 논하였던 일이 생각났다. 문을 열고 침을 뱉는 순간, 문밖에서 사라진 검은 그림자의 실체를 발견하고도 무시했다. 그 검은 그림자가 덕집득이 심어놓은 간자라고 생각하니 죽음의 그림자가 눈앞에 온 것 같았다. 그러나 복신은 상좌평답게 당당했다,

“폐하께서 저런 자의 말에 현혹되어 나라의 주춧돌을 빼려 하시는데 더 이상 무슨 말을 하겠소. 당나라와 신라놈들이 짜고 선대왕을 잡아가고 나라가 멸망했소. 왕실의 피를 받은 소신이 망해 버린 나라를 다시 세우려고, 왜국에서 볼모살이를 하고 있는 조카를 불러 군왕으로 세웠소. 그런데 군왕이 군왕답지 못하고 나라를 더욱 위태롭게 하고 있소. 군왕을 잘못 세운 내 죄가 너무 크오. 이제 그 죗값으로 죽는다면 무슨 여한이 있겠소. 어서 빨리 죽이시오.”

복신이 풍의 실덕을 꾸짖자 귀지도 살기를 체념했다.

“폐하가 저런 간신배를 곁에 두고 계시니 나라의 앞날이 눈에 보이는 듯하옵니다. 지금이라도 간신배를 내치고 바른길로 가시는 것이 나라를 지키는 길이옵니다.”

풍의 얼굴에 냉기가 서렸다.

“이놈들을 살려주려 했는데 조금도 뉘우치는 빛이 없구나. 복신과 귀지의 손바닥을 뚫고 가죽끈으로 묶어라.”

친위군 병사가 복신과 귀지의 손에 구멍을 꿇고 가죽끈으로

묶었다. 피투성이가 된 복신을 보고 풍은 멈칫했다. 복신을 죽인다면 나당군의 공세가 더욱 강해질 것만 같았다.

"복신의 죄가 비록 크다고 하나 멸망한 나라를 바로 세운 자다. 살려주어 짐의 은혜를 평생 느끼게 하는 것이 어떻겠는가?"

덕집득은 풍의 마음이 변할 것 같아 덜컥 겁이 났다. 복신이 살아난다면 언젠가 다시 나라의 중심에 설 것이다.

"이런 반역자를 살려주면 반역하는 무리들이 벌 떼처럼 일어날 것이옵니다. 이번 기회에 반역의 뿌리를 송두리째 뽑아야 합니다."

복신의 얼굴색이 급변했다. 삶에 미련이 있어서가 아니라, 백제의 부흥이 간신배의 세 치 혀에 물거품이 된다고 생각하니 지난날이 허망했다.

"썩은 개와 같은 놈이 나라를 망치는구나? 내 죽어 선대왕을 어찌 뵈올고."

귀지가 복신을 위로했다.

"저런 간신배에게 일국의 군왕이 놀아나고 있소. 상좌평, 구천에 가서 나라꼴이 어떻게 되는지 구경이나 한번 해봅시다. 어서 죽이시오, 폐하."

귀지의 저주에 풍의 얼굴이 새파랗게 변했다.

"역적놈들이 잘못을 뉘우치지 않고 군왕을 저주하는 것을 보니 곱게 죽기 싫은 것 같다. 역모를 꾸민 저놈들의 목을 잘라 소금에 절여라. 그래도 주둥이를 나불대는지 짐이 한번 보아야겠다. 당장 시행하라."

"명을 거행하겠사옵니다. 폐하."

덕집득은 그동안 알게 모르게 복신에게 당했던 수모가 생각났다. 친위군 병사에게 손짓하니 언제 준비해 왔는지 소금상자를 복신과 귀지 앞에 놓았다. 복신은 하늘을 우러러보았다. 이렇게 허무하게 죽으려고 생사를 넘나들면서 적과 싸웠는지 한이 되었다.

"어서 죽여라, 풍아."

복신의 절규에 친위군 병사의 장검이 섬광을 그었다. 단숨에 복신의 목을 갈랐다. 친위군 병사가 장검을 다시 들어 올렸다. 복신의 선혈이 뚝뚝 떨어졌다. 장검이 반복적으로 귀지의 목을 내리쳤다.

친위군 병사가 피범벅이 된 복신과 귀지의 수급을 소금상자에 넣고 뚜껑을 닫았다. 복신과 귀지가 죽자 번개가 치면서 먹장구름이 태양을 가리기 시작했다.

19장 / 찬물

복신과 귀지가 역모로 몰려 참수되었다는 비보가 백제 전역에 퍼져나갔다. 전하는 자나 듣는 자나 가슴에 복받치는 슬픔은 감당하기 어려웠다. 그렇다고 계속 비통해 있기에는 주변 정세가 너무 험악했다.

웅진도행군총관 손인사의 당군이 웅진성에 들어왔다는 불길한 첩보와 태자 륭이 선대왕의 머리카락을 백강에 뿌리면서 회한의 눈물을 흘렸다는 애달픈 소문이 백성들의 마음을 어둡게 했다.

지수신이 자신의 심정을 토로했다.

"눈엣가시 같던 상좌평을 참수한 것도 모자라, 수급을 소금에 절인 것을 알면 당나라와 신라놈들이 얼마나 쾌재를 부르겠소. 이를 기화로 당나라 놈들이 저하를 앞세워 민심을 현혹시키는 양면 전략을 세우고 있소. 상좌평의 빈자리가 이렇게 큰지 미처 몰랐소."

사타상여가 지수신의 눈빛을 살피면서 말했다.

"내 그래서 말하지 않았습니까? 간신배 덕집득도 문제지만 이에 현혹된 폐하의 안목이 더 문제요. 나라의 주춧돌을 빼버렸는데 이제 누구를 위해 적들과 싸운단 말이오."

"나도 그놈이 그럴 줄은 미처 몰랐소. 하나 손 놓고 있을 수만 없는 일이 아니오."

"성주님의 생각은 알겠지만 너무 늦었습니다."

사타상여가 한숨을 내쉬었지만 전쟁의 소용돌이는 이제 시작이었다. 당군과 신라군이 주류성과 임존성을 옥죄기 시작했다. 율이 사타상여에게 넌지시 말했다.

"임존성보다도 주류성이 더 급해요. 제 생각 같아선…."

율이 말끝을 흐리자 사타상여가 물었다.

"무슨 좋은 방법이라도 있습니까? 있으면 말씀해주십시오, 공주님."

"생각해 보셔요. 웅진성의 당군이 주류성을 공략하려면 가림성을 지나야 해요. 흑치상지 장군이 왜국의 지원군이 올 때까지만 당군을 막아준다면 승산이 있어요."

율의 생각처럼 지름길인 가림성을 우회해 주류성을 공략한다는 것은 당군의 군사력으로서는 무리였다. 지수신도 사타상여를 은연중 떠보았다.

"장군의 생각은 어떻습니까? 공주님의 전략을…."

"왜 그걸 나에게 묻습니까? 직접 흑치상지에게 물어보십시오."

사타상여가 화를 버럭 내면서 지휘부를 나가버리니 율이 낙심한 듯 힘없이 말했다.

"흑치상지도 문제지만 문사가 보이지 않아요. 무슨 일을 저지를 것 같은 불길한 예감이 들어요."

"세손마마는 저하가 계신 웅진성으로 갔을 것입니다. 하니 잊어버리십시오."

"그럼 큰일 났어요. 임존성의 정보가 고스란히 놈들에게 들어갈 터인데 무슨 조치라도 해야지."

"그것도 다 공염불이 되었습니다. 사타상여가 세손마마의 길을 터주고 있습니다. 더구나 저하와 폐하, 두 분 사이에 갈등만 깊어지고 있으니…."

지수신의 자탄에 율은 얼굴을 들 수 없었다. 태자 오라버니가 어떻게 변했는지 부왕과 모후가 어떻게 승하하셨는지 알고 싶지만, 웅진성으로 찾아가 물어볼 수 없는 노릇이었다. 한마디로 태자가 겨누는 화살이 어디로 향할지 모르는 사람이 없을 정도로 군심과 민심도 덩달아 흉흉해졌다.

"태자 오라버니의 귀국으로 모든 것이 엉망이 되었어요. 하필이면 원수놈의 앞잡이가 되어서 오다니 생각이 없으신 것 같아요."

"저하도 어쩔 수 없이 선택하셨을 겁니다. 군왕으로 만들어 준다는 술책에…."

지수신이 한숨을 내쉬었다. 하늘의 뜻이 정해진 것처럼 나라의 숨결은 천길 벼랑 끝으로 내몰렸다.

"사형과 제가 두 분을 화해시키면 안 될까요? 그러면 전쟁은 피할 수 있을 것 같은데…."

"당나라 놈들이 이간질하는데 그게 되겠어요. 이젠 전쟁을 할 수밖에 없어요. 그리고 공주님, 부탁 말씀이 있는데…."

"왜 말을 하다 말고 끊어요? 마저 해봐요, 부탁이 무엇인지."

"임존성은 저에게 맡기고 천관산으로 가시든지 아니면 왜국이나 고구려로 떠나십시오."

율은 전장에서 동료로 혹은 연인으로 지수신과 생사고락을 같이 했다.

"저보고 임존성을 떠나라니 그걸 말이라고 해요. 절대 떠날 수 없으니 그리 알아요."

지수신은 율이 눈물을 글썽이면서 지휘부를 나가는데도 잡지 못했다. 작금의 현실에 전쟁 말고는 다른 방법이 없었다. 더구나 부흥운동의 구심점이었던 상좌평과 영군장군이 불귀의 객이 되었고, 이제 믿을 만한 장수는 사타상여밖에 없다고 생각하니 마음만 답답했다.

지수신이 한숨을 내쉬면서 지휘부를 나오자 어디서 날아왔는지 들국화 꽃잎이 발밑에 떨어졌다. 행운의 꽃잎처럼 들국화 꽃잎을 잡는 순간, 선의 다급한 목소리가 귓전을 때렸다.

"오라버니, 큰일 났어요. 공주님이 혼절했어요. 빨리 가보셔요."

"그게 무슨 소리야, 좀 전까지 멀쩡했는데…."

"가시면 알 수 있어요. 오라버니."

선의 표정은 진지했다. 율의 목숨이 경각에 이른 것처럼 힘주어 지수신의 옷깃을 잡아당겼다. 지수신은 당혹했다. 왜국이나 고구려로 떠나라고 너무 심하게 몰아붙였나 하는 자괴감이 들었지만 한시가 급했다. 숨 쉴 겨를도 없이 한걸음에 달려가 방문을 두드리자 율의 애잔한 목소리가 흘러나왔다.

"들어오십시오, 사형."

지수신이 방문을 열고 들어가니 환자라고 생각했던 율이 오색 치마저고리를 입고 지수신을 반겼다.

"공주님, 이 모습은…."

"이제부터 사형을 낭군으로 받들겠어요. 전쟁 통에 혼례식을 제대로 할 수 없어 찬물 한 그릇만 준비했어요. 만약 거절하신다면 혀를 깨물고 자결하겠으니 저의 청을 들어주십시오."

말 그대로 단호한 결심이 율의 눈빛에 서려 있었다. 지수신은 달빛에 비친 율의 모습에 넋이 나갔다.

"공주님, 정말 후회하지 않으시겠습니까? 언제 죽을지 모르는 저에게 꽃다운 몸을 맡기는 것을…."

"어릴 적부터 사형을 지아비를 생각했어요. 지아비가 세상을 떠나면 제가 어찌 살겠습니까? 이젠 그런 말씀 마십시오."

지수신은 망설였다. 거절하면 무슨 일을 저지를 것 같은 불길한 예감이 들었다. 율의 손을 잡았다.

"저도 공주님을 보내고 싶지 않았습니다. 너무나 아끼는 나머지 용서해주십시오."

"알고 있어요. 얼마나 아끼는지 이제 살아도 함께 살고 죽어도 함께 죽어요."

지수신과 율이 손을 마주 잡고 천지신명께 맹세했다. 태평성대 같으면 국혼의 행사였으나 나라의 숨결이 멈추어가고 원수놈들이 몰려오고 있다.

하지만 기다리고 기다리던 순간이 눈앞에 왔다. 한 몸이 되기 위해 지수신과 율이 옷을 벗기 시작하니, 거세게 불던 바람도 숨을 죽이고 밤하늘에 총총히 박힌 별들도 눈을 감았다.

웅진성에서 당군과 신라군의 수뇌부가 전략회의를 시작했다. 웅진도독 유인원은 잔적들의 등쌀에 하루도 잠을 편히 잘 수 없었다. 복신을 비롯한 잔적들이 시도 때도 없이 괴롭혔다. 오죽했으면 황제가 철군을 입에 담았을까? 그런데 상황이 달라졌다.

원수 같은 복신이 저들끼리 싸우다가 수급이 잘려 소금에 절여졌다. 유인궤의 상소로 웅진도행군총관 손인사와 말뿐이지만, 부총관으로 보임된 망국태자 륭이 당군 7천을 인솔해 웅진성에 들어왔다. 신라군 2만도 성 밖에 주둔했다. 유인원이 기염을 토했다.

"우리 당군과 신라군이 일시에 공격하면 잔적들의 준동은 영원히 사라질 것이요. 안 그렇소, 대왕."

김법민도 고개를 끄덕이었다.

"맞는 말씀입니다. 이번기회에 잔적들의 소굴을 깨끗이 청소합시다. 신라군은 도독의 작전에 따르겠습니다."

"그럼 이렇게 합시다. 당군이 가림성을 공략하겠으니 신라군은 임존성을 공략하시오."

유인원의 작전에 동조할 것 같았던 유인궤가 반기를 들었다.

"주류성을 치기 위해서 가림성을 친다면 설령 이긴다 해도 병사들의 손실이 많고 시간만 허비할 뿐이옵니다. 가림성을 지키고 있는 흑치상지는 잔적 중에 이무기고, 지수신 또한 만만치 않습니다."

"다 잡은 고기를 놓아주란 말이요. 왜군이 몰려오면 모든 전략이 수포로 돌아갈 수 있소. 생각해 둔 방책이라도 있소."

왜군 3만과 왜선 1천여 척이 왜국에서 백강 하구로 출병했다는 반갑지 않은 첩보가 들어왔다.

"가림성의 흑치상지와 임존성의 사타상여는 의형제 사이로 부총관이신 태자를 주군으로 모시던 맹장입니다. 이들을 우리 편으로 만들기 위해서는 태자의 역할이 매우 중요합니다. 태자는 이들을 귀순시키시오. 하나 이들이 전쟁을 원한다면 우리 군은 3군으로 편성해, 1군은 가림성을 지나 주류성을 공략하고 2군은 임존성을, 3군은 백강 하구에서 왜병을 섬멸해야 합니다."

유인원이 의심스러운 표정으로 되물었다.

"장군의 작전이 절묘하지만 왜선 1천 척에 병사가 3만이 된다던데 그리 쉽게 생각해도 되겠소."

"왜선은 삼나무로 제작해 가랑잎과 같습니다, 그에 비해 우리 당군선은 견고한 소나무로, 왜선이 접근하면 단숨에 침몰시킬 수 있습니다. 2천 척의 왜선이 온다 해도 겁나지 않습니다."

김유신도 유인궤의 작전에 동조했다.

"도독님, 더 이상 두고 볼 수 없으니 밀어붙입시다."

김유신까지 독촉하니 유인원은 승리가 눈앞에 온 것 같았다. 작전을 하달하는 유인원의 목소리가 우렁찼다.

"제1군은 본관과 손인사가 주류성을, 신라군은 2군을 맡아 임존성을 함락시키시오. 지수신은 대장군도 알고 있다시피 맹장이요. 실수 없이 하시오. 3군은 유인궤 장군과 망국태자 륭이 책임지고 왜군을 섬멸하시오."

김법민의 얼굴색이 급변했다. 망국태자 륭이 어떻게 부총관이 되었는지 황제의 저의가 의심스러웠다.

"신라군이 임존성을 공략하겠습니다만 망국태자를 참여시킨다는 것은 말도 안 됩니다. 재고해 주십시오."

김법민의 가시 돋친 말에 유인원은 한발 물러섰다.

"망국태자, 대왕이 그대를 믿지 못하고 있소. 어찌 생각하시오."

륭은 고국에 와 보니 설 땅이 없었다. 포로로 잡혀간 지 3년이 지나건만 30년이 지난 것처럼 백강도 낯설고, 김법민의 예사롭지 않은 눈빛이 예리한 비수처럼 가슴속을 파고들었다. 김법민이 독촉했다.

"망국태자는 무엇하는가? 빨리 대답하라."

"망국태자가 무슨 전쟁을 하겠습니까? 다 기우일 뿐이니 괘념치 마십시오."

김유신까지 들고 일어났다. 륭은 더 이상 밀릴 수 없다는 듯이 큰소리로 말했다.

"나는 망국태자가 아니라 황제 폐하의 신하요. 부총관으로 온 것이오. 계속 망국태자 운운하면 황제 폐하를 욕보이는 것이오. 아시겠소, 대장군."

륭이 황제를 입에 담자 유인원은 정신이 번쩍 들었다.

"태자는 부총관으로 웅진성에 왔소. 망국태자라는 말은 가당치 않소. 태자는 황제 폐하의 장수로서 참전한 것이요. 도독인 나도 호칭을 부총관으로 바꾸겠소. 대장군도 다음부터는 부총관으로 불러주십시오."

김유신은 유인원의 힐책에 목소리를 낮추었다. 황명을 받은 이상 황제의 신하였다.

"내가 눈이 어두워 실언했소. 미안하오. 부총관."

김유신이 고개를 숙이자 찬바람이 불던 지휘부에 훈풍이 돌았다. 하지만 유인궤의 얼굴이 어두웠다. 륭으로 하여금 흑치상지를 회유한다지만 장담할 수가 없었다. 돌다리도 두드리면서 건듯이 다시 한번 부탁했다.

"소장도 흑치상지를 알고 있으나 부총관처럼 잘 알지는 못하오. 흑치상지를 가림성 밖으로 나오지 못하게 하시오. 그것만 성공한다면 주류성의 함락은 손바닥 뒤집기보다 더 쉽소."

"흑치상지에게 인편을 보냈으니 걱정 마십시오. 유인궤장군님."

유인원은 궁금했다.

"부총관, 그 인편은 믿을 만하오?"

"인편은 제 자식놈이옵니다. 도독님."

"임존성에서 왔다는 그 아들 말이군요. 정말 잘 되었소."

잔적을 토벌할 작전이 마무리되자 김법민이 자리를 털고 일어났다.

"신라군은 먼저 출병하겠습니다. 도독님."

"좋은 소식을 기다리겠소, 대왕."

김법민은 소정방도 함락시키지 못한 임존성을 함락시켜 외숙 김유신에게 군왕의 위엄을 보여주고, 더 나아가 웅진도독 유인원의 코를 납작하게 눌러주고 싶었다.

"폐하, 태자로부터 밀서가 왔사옵니다. 보시옵소서."

덕집득이 밀서를 풍에게 조심스럽게 올렸다. 풍은 왜국으로 떠날 때, 태자인 형과 석별의 정을 나누었다. 풍은 지난 세월을 세듯이 다섯 손가락을 쥐었다가 하나씩 다시 펴기 시작했다. 10년이란 세월이 흘렀다. 마치 형의 모습을 찾는 것처럼 눈동자가 분주히 움직이었다.

보고 싶은 아우 보아라. 나라를 보전하기 위해선 대당의 힘이 필요하니 무조건 항복하라. 이것이 형으로서 처음이자 마지막 부탁이다. 아우의 현명한 결단을 바란다. 태자

풍은 복신을 죽인 것을 후회했다. 복신의 죽음에 흑치상지가 등을 돌리자 다른 장수들도 풍의 곁을 떠나기 시작했다. 하지만 아주 희망이 없는 것은 아니었다.

율과 지수신이 부부의 연을 맺었다는 반가운 소식이 들려왔다. 지수신의 눈에 들고자 많은 혼수예물과 축하사절을 보냈으나, 지수신은 일언지하에 돌려보냈다. 군왕의 영은 가을날의 낙엽이 된 듯했다.

"형님이 항복하라고 하니 어찌하면 좋겠소."

"하늘 아래 두 개의 태양이 있을 수 없사옵니다. 폐하가 항복하는 즉시 당나라에 끌려가거나 죽을 수 있사옵니다. 항복은 아니 되옵니다."

덕집득은 핏대를 세우면서 반대했다. 항복하면 풍도 문제지만 임자처럼 나라를 망친 간신배라고 참수될 것만 같았다. 충승도 주청했다.

"당나라놈들이 태자를 이용해 아군의 군심을 헤집고 있사옵

니다. 이에 현혹되시면 나라는 망하고 백성들은 다시 놈들의 노예가 될 것이옵니다."

"짐이 왜 모르겠소? 하나 짐을 따르는 장수도 없고 백성들의 민심도 떠나고 있소."

풍의 자조 섞인 말에 어전은 찬물을 끼얹은 것처럼 조용해졌다. 바람에 흔들리는 나뭇잎 소리만 문틈으로 들릴 뿐이었다. 그러나 살길이 생겼다. 왜국에 구원군을 요청하러 갔던 금수와 다꾸츠가 들어왔다. 이들의 표정은 중신들의 을씨년스런 표정과는 달리 가을하늘처럼 맑았다. 풍이 옥좌에서 벌떡 일어났다.

"두 분, 천 리 뱃길에 얼마나 수고가 많았소. 그래 왜왕께서 무어라 하셨소. 지금 나라가 난파선이 되었소. 어서 빨리 말하시오."

다꾸츠가 복명했다.

"왜왕께서 구원군의 파병을 윤허하셨사옵니다. 규모로는 군선 1천 척에 병사 2만7천에 이르옵니다. 구원군의 대장은 이오하라노키미오미(盧原君臣)이옵니다."

"노키미오미의 명성은 짐이 왜국에 있을 적에 들었소. 그의 전략이라면 걱정할 것이 없소."

금수도 뱃길의 고달픔을 잊은 듯이 밝은 표정으로 아뢰었다.

"왜군이 오면 주류성의 방비는 어려움이 없을 것이옵니다. 가림성의 흑치상지와 임존성의 지수신에게 남하하는 당군을 막으라고 명을 내리옵소서."

"그대의 말처럼 가림성과 임존성에 사람을 보내고 짐은 백강하구로 나가 구원군 대장을 영접하겠소. 그리고 좌평 충승을 대장군에, 덕집득을 군사참모로 삼아 주류성을 공략하는 당군을 막을 테니 만반의 준비를 하시오."

금수의 얼굴에 핏기가 가셨다.

"절대 아니 되옵니다. 군왕이 떠난 도성은 백성들의 마음과 병사들의 군심을 잡을 수 없사옵니다. 부소산성의 전철을 밟지 마옵소서."

"신 다꾸츠도 간청하옵니다. 구원군은 영접하지 않아도 주류성에 입성할 것이옵니다. 구원군의 영접을 뒤로 미루시옵소서."

다꾸츠의 반기에 풍이 주춤거렸지만 덕집득은 아니었다, 생사가 달린 문제였다.

"주류성은 충승과 소신이 수성하겠사오니 폐하께서는 구원군을 위로할 겸 노키미오미 대장군을 영접하옵소서."

금수가 덕집득에게 호통을 쳤다.

"내가 왜국에 간 사이에 상좌평을 모함해 죽이더니 폐하까지 내쫓으려 하는구나? 폐하, 저놈을 참수해 수급을 군문에 걸으시옵소서. 그래야만 흩어진 민심을 붙잡을 수 있나이다."

"그대는 덕집득을 책하지 마시오. 구원군의 대장 노키미오미를 영접하러 가는 것은 짐이 결정한 것이요."

풍이 물러서지 않자 지원군의 소식에 들떠있던 중신들이 입을 닫았다. 금수가 탄식했다. 저렇게 무능한 군주가 있는가 생각하니 왜국에 갔다 온 것이 물거품이 된 것 같았다.

"폐하, 만대까지 후회할 일을 하지 마옵소서."

"짐의 결정에 반기를 든다면 참수하겠소. 더 이상 거론하지 마시오."

풍이 금수의 간언을 한 귀로 흘려들으면서 어전을 나가자 대장군에 보직된 충승이 금수를 위로했다.

"폐하가 저렇게 완강하시니 어찌하겠소. 이제 나라의 존망을 하늘에 맡기어 봅시다."

"대장군도 덕집득을 조심하십시오. 나라를 망친 원흉이옵니다."

"내가 왜 그걸 모르겠소. 적당한 시기에 제거할 테니 집으로 돌아가 쉬시오."

충승은 풍의 측근 중에 측근이었다. 풍에게 직언도 수없이 했지만 한 번도 들어주지 않았다. 왜장에게 밀리고 늦게 나타난 덕집득에게도 밀렸다. 그렇게 거들떠보지 않던 충승에게 대장군의 보직을 주었다. 다꾸츠도 금수를 위로했다.

"소장이 목숨을 걸고 폐하를 지켜드리겠습니다."

"장군만 믿겠소. 정말 고맙소."

금수가 다꾸츠를 바라보았다. 구원군을 파병케 한 공의 절반은 다꾸츠의 노력이었다. 피가 다르고 나라가 달랐지만 다꾸츠는 풍에게 헌신했다.

당군의 움직임을 살피러 나갔던 부장이 돌아왔다.

"성주님, 당군이 우리 가림성을 지나 주류성으로 진군하고 있습니다. 지금 출병하면 당군을 저지할 수 있습니다. 명령을 내려주십시오."

흑치상지는 부장의 다급한 목소리를 한귀로 흘려들었다. 문사가 태자의 친서를 가지고 왔다. 구구절절이 도와달라는 뜻이었다. 풍에게 등을 돌렸지만 아직은 나라의 주인이었다. 주류성을 구원하는 것이 당연하지만 망설였다. 진군하는 당군이 눈에 잡힐 듯했다. 흑치상지의 눈빛이 예사롭지 않자 문사는 당황했다.

"부장은 말하라. 당군의 병력은 얼마나 되는가?"

"1만 정도입니다. 진군속도가 무척 빨라 지금 출병해도 잡을까 말까 합니다."

문사는 흑치상지의 마음을 떠보았다.

"장군, 어찌하실 겁니까?"

부장도 내심 불안했다. 화살 한 대 쏘지 못하고 주류성이 함락될 것만 같았다.

"성주님, 시간이 없습니다. 빨리 명령을…"

흑치상지는 부장의 독촉에 화를 버럭 냈다.

"우리 가림성의 병력은 백성까지 다 합쳐도 불과 5천밖에 되지 않는다. 이 병력으로 어찌 당군 1만을 막을 수 있단 말이냐? 잘못하면 가림성까지 함락된다."

"무슨 말씀이 그렇습니까? 주류성이 무너지면 나라가 망합니다."

"더 이상 토를 달지 마라. 성주는 바로 나다."

흑치상지가 마침표를 찍자 부장의 얼굴이 돌처럼 굳어졌다. 하지만 문사는 한시름 놓았다.

"장군의 결정이 아버님을 살렸고 백제를 살렸습니다."

"별말씀을. 가림성의 병력으로 당군의 남진을 막는다는 것은 계란으로 바위치기입니다. 소장이 태자저하의 손을 들어주었지만 아직은 승패를 속단할 수 없습니다. 특히 왜군과 해전은…."

"아버님의 출정은 나라의 적통이 누구인지를 만천하에 알려주기 위함이오. 왜군이나 우리 병사들이 아버님을 보면 싸울 맛이 나겠습니까? 아버님은 심리전을 위해 출정하신 겁니다."

"알고 있습니다만 유인궤에게 끌려 다니시는 것은 바람직하지 않습니다."

"그것은 풍 숙부에게 달렸소. 항복하면 모든 것이 제자리로 돌아올 수 있소."

흑치상지는 당나라가 태자를 이용해 잔적을 토벌하고 나면 백제를 다시 일으켜줄지 의구심이 들었다. 흑치상지의 마음을 알고 있듯 주류성으로 가는 당군의 군마 소리가 환청이 되어 가까이 왔다가 사라졌다. 이렇게 당군이 가림성의 사정권에서 벗어나 버리자 흑치상지는 자탄했다.

"이제 나라의 존망은 가늠할 수 없어졌습니다. 소장의 선택이 하늘의 노여움을 사지 않을지."

문사가 흑치상지를 위로했다.

"하늘의 노여움이라니 장군의 선택이 하늘의 뜻입니다. 아버님을 믿으십시오."

"소장의 선택은 이미 정해졌습니다. 걱정 마십시오."

"장군을 못 믿어서가 아니라…."

문사는 흑치상지의 손을 잡았지만 흑치상지는 문사의 손을 뿌리치고 주류성으로 가는 길목을 응시했다. 당군이 지나간 자리에 회색 먼지가 아지랑이처럼 피어올랐다.

임존성의 침울한 분위기가 지수신과 율의 혼례로 인해 점점 활기를 되찾아 갔지만 전황은 다시 급변했다. 신라군 2만이 임존성으로 몰려왔다. 임존성에 전운이 감돌자 율도 오색 치마저고리를 벗어 던지고 무장을 했다.

"공주님, 신부의 손에 검을 잡다니요. 전쟁은 오라버니에게 맡기셔요. 그것이 오라버니를 도와주는 길이예요."

"이번 전쟁에 우리의 생사가 걸려 있어. 언니는 남편과 같이 싸우다가 죽겠어."

"그렇게 가망이 없어요?"

"맞아, 장수들 모두 살길 찾기가 바쁘니 나라가 망할 수밖에. 동생도 더 늦기 전에 임존성을 빠져나가."

"아니에요. 저도 공주님과 함께하겠어요."

율의 눈가에 눈물이 맺혔다. 스승님의 하나밖에 없는 딸을 보호해주기는커녕, 그녀가 마음에 담고 있는 사람을 지아비로 받아들였다.

"동생이 천관산으로 가는 것이 스승님에게 대한 마지막 도리라고 생각했어."

"걱정 마셔요. 놈들과 싸우지는 못 하지만 부상병은 돌볼 수가 있어요."

"동생의 말을 들으면 남편도 힘이 날 것 같아. 정말 고마워."

"공주님, 전투가 시작될지 모르니 빨리 가보셔요."

율의 다급한 마음을 알고 있듯이 병사들은 공성전에 쓸 돌덩이를 모으고, 가마솥에 기름을 끓이면서 신라군의 움직임을 감시했다. 무장한 율이 성루로 올라가는 순간, 적장의 카랑카랑한 목소리가 청천 하늘을 갈랐다.

"나는 충상이다. 가림성주 흑치상지가 주류성으로 가는 진격로를 당군에게 열어주었다. 이제 주류성의 함락은 시간문제다. 지수신은 더 이상 병사들의 피를 보지 말고 항복하라. 항복하면 목숨만은 보전해주겠다. 처음이자 마지막 통보다."

사타상여가 반박했다.

"나라를 배신한 놈이 흑치상지를 모함하다니 네놈을 죽이고 말겠다."

"나를 죽이겠다고 네놈의 목이나 잘 간수해라. 하하하."

"저놈이 죽으려고 환장을 했구나. 내 화살이나 받아라."

사타상여가 쏜 화살이 충상의 투구 끝을 뚫고 지나갔다.

"네놈이 그런다고 지수신이 믿을 것 같으냐? 참으로 어리석구나."

충상은 사타상여를 물고 늘어졌지만 지수신은 말려들지 않았다.

"나는 임존성에서 배수진을 치고 싸울 것이다. 더 이상 시간 끌지 말고 공격하라. 더러운 역적놈아."

"지수신 이놈아, 내가 더러운 역적이라고? 그럼 태자와 흑치상지는 무엇이냐? 정신 차려라."

충상의 비아냥에 사타상여가 검을 빼 들면서 말했다.

"성주님, 저놈과 입씨름을 할 필요가 없소. 성문을 나가 저놈의 수급을 잘라오겠소."

"저놈이 저렇게 큰소리치는 것을 보면 무슨 꿍꿍이속이 있는 것 같으니 경솔하게 움직이지 마시오."

지수신의 말처럼 율도 충상의 저의가 의심스러웠다.

“이제야 영군장군이 죽은 이유를 알 것 같아요. 하니 말려들지 마셔요. 사타상여장군님.”

“알겠습니다, 공주님.”

사타상여가 한발 물러서자 지수신의 얼굴색이 밝아졌다. 하지만 충상의 말투가 괘씸했다.

“뱀처럼 음흉한 역적 충상아. 냉큼 가서 김유신에게 전해라. 나를 잡으려면 뒤에 숨지 말고 직접 오라고..”

“네놈의 어리석은 호기를 대장군에게 하나도 빼지 않고 전하마.”

충상이 눈앞에서 사라지자 지수신은 잠시 잊고 있던 주류성이 생각났다.

“사타상여 장군, 흑치상지가 진격로를 열어주었다면 정말 큰 일이요. 혹시 짐작하는 것이 있으시오.”

“가림성마저 위태로울까 봐 결정한 것 아닌가 생각이 듭니다만….”

“아무리 그래도 흑치상지에 대한 소문이 좋지 않소. 미리 귀띔이라도 해주었으면 좋았을 것인데 이젠 늦었소. 주류성의 함락이 눈에 보이는 듯하오.”

“귀띔 해준들 신라군 2만이 임존성으로 몰려왔는데 무슨 재간으로 주류성을 구원하겠습니까? 주류성은 이제 잊어버리십시오.”

"어떻게 잊어버리란 말이요. 만약 그런 결정을 흑치상지가 내렸다면 역적이나 다름없소. 사타상여 장군."

"성주님, 아직 속단하기는 이릅니다. 충상의 말이 사실인지 시간을 두고 기다려 봅시다."

"사타상여 장군의 말씀이 맞아요. 그럴 분이 아니라는 것은 아시잖습니까?"

율의 말이 끝나가 무섭게, 북과 꽹과리 소리가 임존성의 성곽을 울렸다. 지수신이 성 밖을 바라보면서 말했다.

"사타상여 장군, 주류성은 뒤로 미루고 전열을 가다듬어야겠소. 신라군이 몰려오는 것 같소."

"맞습니다. 성주님, 김법민이 오고 있습니다."

사타상여의 말처럼 김법민과 김유신이 신라군을 앞세우고 나타났다. 지수신이 김유신을 조롱했다.

"조금 전에는 나라를 배반한 놈을 보내더니 이제는 늙은 놈이 왔구나. 하하하."

"한 번 더 기회를 주겠다. 성문을 열고 폐하를 영접하면 임존성의 백성과 네놈의 목숨은 보장하겠다."

"내가 김법민에게 항복할 것 같으냐? 어서 공격하라."

김유신의 하얀 수염이 곤두섰다.

"감히 폐하를. 저놈이 죽기를 작정하고 있구나. 공격하라, 계림의 병사들아."

지수신도 지지 않았다.

"형제들아, 당황하지 말고 신라군을 막아라. 승리가 눈앞에 있다."

백제군이 성곽을 기어오르는 신라군을 향해 펄펄 끓는 기름을 붓고, 당차로 성문을 부수는 신라군에게 불화살을 쏘았다. 이렇게 성곽을 공격하는 자와 막으려는 자의 피나는 공방전이 전개되었다. 율도 질수 없다는 듯이 검을 빼 들었다.

"어서 와라, 쓸개 빠진 신라놈들아."

율의 검이 지날 적마다 신라군 병사의 몸에서 검붉은 피가 솟구치니 임존성의 성곽을 붉게 물들이었다. 김법민은 3년 전의 악몽이 떠올랐다. 백제군의 사기에 혀를 내둘렀다. 소정방도 임존성의 철벽 수비에 부딪쳐 물러섰다.

"대장군, 성곽을 방어하고 있는 저놈들을 보시오, 굶주린 늑대처럼 우리 병사를 물어뜯고 있으니 임존성의 공략이 쉽지 않을 것 같은 불길한 예감이 드오."

김유신이 고개를 숙였다.

"폐하의 말씀처럼 지수신의 전술에 우리 신라군이 말려드는 것 같사옵니다. 소신이 작전을 다시 세워 지수신의 수급을 폐하께 받칠 테니 심려 마옵소서."

"짐이 대장군을 믿겠소. 하니 병사들의 사기도 점검할 겸 전 군을 뒤로 물리시오. 병사들의 피를 더 보기 전에…."

"알겠사옵니다. 폐하."

군왕인 김법민도 의견을 같이하니 김유신은 안도의 한숨을 내쉬면서 퇴각 명령을 내렸다.

"폐하의 명이시다. 전군은 군영으로 돌아와라. 계림의 병사들아."

임존성을 물어뜯던 신라군이 군영으로 퇴각하니 백제군은 함성을 질렀다.

"늙은 김유신아, 임존성이 호락호락 당할 줄 알았더냐? 다시 오면 그날이 네놈의 제삿날인지 알아라, 하하하."

지수신은 전쟁이 할퀴고 간 성 밖을 바라보았다. 신라군이 버린 당차가 불에 탄 채 덩그렇게 놓여있고, 주인 잃은 창검이 잡초처럼 군데군데 흩어져있었다. 성 밖의 풍경은 지옥이나 다름없었다.

"공주님, 이번 전투는 우리군의 전력을 시험한 탐색전에 불과합니다. 백강 하구의 전황을 관망하면서 공격해 올 것이 분명합니다."

"3만의 왜군이 쉽게 당하겠어요. 백강 하구는 이제 걱정 마세요."

"저도 그리 생각하고 싶지 않지만 당군에는 저하가 있습니다. 백성들은 형제끼리 물어뜯고 싸우는 전쟁에 신물이 나 있어요."

"태자 오라버니만 생각하면 심장이 멎는 것 같아요. 어느 한편을 들 수 없는 처지니…."

"저하는 오랑캐의 사냥개가 되어 왔습니다, 이제 공주님은 제 뜻에 구속받지 말고 마음 가는 대로 하십시오."

율은 큰 오라버니의 손짓에도 막내 오라버니의 손짓에도 침묵했다. 오로지 지수신의 눈빛만 살폈다.

"당신 곁을 떠나 어디로 가란 말입니까? 제발 마음에 없는 소리하지 마십시오."

율의 어깨가 서러움에 복받쳐 들썩거리자 지수신도 병사들도 눈물을 흘렸다. 길게 갈 것 같았던 승리의 함성이 물거품처럼 일어났다가 사라졌다. 임존성은 다시 적막감이 감돌았다.

풍이 백강 하구에 나타나자 왜선 1천 척이 군례를 하는 것처럼 왜장의 깃발이 펄럭이었다. 풍이 다꾸츠의 손을 잡았다.

"장군의 공을 평생 갚을 수 없을 것 같소. 정말 고맙소."

"소장의 책무를 대했을 뿐입니다, 폐하."

"장군은 겸손해서 탈이요. 그럼 대장군이 계신 대장선으로 갑시다."

풍이 대장선에 올라서서 백강을 바라보니 밀물이 지나갔는지 파도는 잠잠했다. 하지만 대장군 노키미오미의 말투에 가시가 돋쳤다.

"주류성에 계셔야 할 분이 대장선에는…."

"당연히 대장군을 영접해야지요."

풍이 손을 내밀었지만 노키미오미는 풍의 손을 뿌리치면서 다꾸츠에게 호통을 쳤다.

"내가 언제 주류성을 비우고 영접해 달라고 했더냐? 네놈이 폐하를 잘못 모신 탓으로 우리 군은 한 발짝도 나갈 수가 없게 되었다."

"죽을죄를 지었습니다. 대장군."

다꾸츠가 무릎을 꿇고 죄를 청하자 풍은 난감했다.

"대장군, 다꾸츠가 무슨 잘못이 있다고 그러시오."

"다꾸츠도 문제지만 폐하의 잘못도 큽니다. 적이 눈앞에 와있는데 도성을 비우다니 보십시오. 당군선 170척이 백강을 철통같이 막고 있소. 이제 우리 왜선은 더 이상 전진할 수도 없고 되돌아갈 수도 없는 딱한 처지가 되었습니다."

"내 불찰로 작전에 차질을 주어 미안하오. 다시는 그런 일이 없을 것이니 노여움을 푸시오. 그런데 대장군, 앞으로 작전은 어떻게 구사하실지 궁금합니다."

풍의 사과에 노키미오미의 얼굴색이 밝아졌다.

"당군과 해전은 선제공격에서 판가름 납니다. 우리 군은 내일 새벽, 백강을 막고 있는 당군선을 궤멸시키고 주류성으로 가는 물길을 열겠습니다."

“그럼 짐의 병사들에게도 공을 세울 기회를 주십시오.”

“도움이 될지 모르겠지만 그렇게 하신다면야.”

노키미오미의 비꼬는 말투에 풍은 자존심이 상했지만 질질 끌지 않고 전투를 개시한다고 하니 그나마 마음이 놓였다.

왜군 대장선에 풍이 타고 있다는 첩보가 륭의 귓전을 울렸다. 형은 당나라의 등에 업히고 동생은 왜국의 등에 업혀 골육상쟁을 한다는 생각에, 승하하신 부왕에게 죄송하고 백성들에게 얼굴을 들 수 없었다. 넋 놓고 왜선을 바라보고 있는 륭에게 유인궤가 넌지시 말했다.

“한 번은 짚고 넘어가야 할 산이니 너무 상심 마시오.”

“말씀은 고맙습니다만 왜선이 자그마치 1천 척이나 되니 걱정이 앞서는군요.”

“태자. 말만 1천 척이지 왜선을 보시오. 우리 군선처럼 단일 대형이 아니고 지방 토호들의 배를 긁어 모아온 군선들이 대부분이요. 왜군 대장도 수군 출신이 아니라 무사 출신이고 왜병들 또한 급조된 오합지졸인데 내가 이들을 두려울 이유가 하나도 없소.”

유인궤는 왜군을 전력을 꿰뚫고 있었다. 새벽안개가 걷히자 왜선을 정탐하러 나갔던 두상이 대장선으로 올라왔다.

“왜선이 우리 군선이 주둔하고 있는 백강 상류로 올라오고 있습니다.”

"왜선이 얼마나 되는가?"

"대장선을 포함해 3백여 척이 됩니다."

"1천 척의 왜선이 3백 척만 공격대열에 선 것을 보면 그 이유를 알 만하다. 자네는 왜선이 따라오면 전투에 임하지 말고 도망쳐라."

"가랑잎 같은 왜선을 초전에 박살내야지 무엇이 두려워 도망칩니까? 재고해 주십시오, 장군님."

"모르는 소리다. 호랑이가 먹이 사냥을 하듯 신중을 기해야 한다. 적의 자만심을 키워주는 것이 오늘의 작전이다."

"이제야 장군님의 전략을 알 것 같습니다."

왜선 1천 척을 가랑잎 같다고 얕보지만 적은 수가 아니었다. 먼저 왜군의 자만심을 불어넣는 것이 급선무였다. 두상에게 군령을 내린 유인궤가 륭의 손을 살며시 잡았다. 그리고 왜군 대장선을 바라보면서 말했다,

"태자, 왜군 대장선을 보십시오. 갑판 왼쪽에 있는 자가 왜장 노키미오미가 분명하고 오른쪽에 있는 자는 풍인 것 같소. 태자께서 풍을 회유해 보시오. 설득 유무는 상관이 없소. 왜군의 사기를 꺾은 것만으로도 큰일을 하는 것이오. 항복을 권하시오."

륭이 유인궤의 시선을 따라 왜군 대장선을 바라보니 왜국에 가지 않으려고 발버둥 쳤던 풍의 모습이 눈에 잡혔다. 륭은 반가웠다.

"풍아, 형을 알아보겠는가?"

"소제가 형님을 못 알아보겠습니까? 보고 싶었습니다."

"무슨 운명인지는 몰라도 서로 적이 되어 만나니 하늘 보기 부끄럽구나? 이제 선택의 여지가 없다. 항복하면 황제 폐하께서 끊어진 왕통을 이어주시겠다고 약속했다. 다시 한번 말하지만 왜군의 전력으로 나라를 일으키지 못한다."

"일국의 태자가 오랑캐의 술수에 속아 아우를 잡으러 오셨군요. 체통을 차리시오. 형님."

"아직도 상황 파악을 그렇게 못하느냐? 당나라 아니고는 망한 나라를 다시 세울 수 없다. 항복하라."

유인궤도 항복을 권했다.

"태자가 백제의 왕통을 계승할 것이요. 내가 보장하리다. 백제국의 사직을…."

풍이 유인궤를 비웃었다.

"네놈이 나약한 태자를 겁박해 짐을 잡으려 왔구나? 항복하려면 네놈이나 해라. 당나라로 가는 물길을 열어주겠다. 하하하."

풍의 조롱에 유인궤가 불같이 화를 냈다.

"어리석은 풍아, 살길을 열어주었는데 죽을 길을 택하는구나? 백강이 네놈의 무덤이 될 것이다. 태자, 더 이상 볼 것 없소. 일거에 저놈들을 수장시킵시다."

"풍이 생각이 모자라서 그런 것 같소. 내 한 번 더 설득해보겠소."

"태자의 마음은 알겠으나 건너지 못할 강을 건넌 것 같소. 하나 말리지는 않겠소."

처음이자 마지막이 될지 모르는 골육간의 만남에 잠잠하던 강물이 출렁거리기 시작했다. 륭은 솟구쳐오는 울음을 억눌렀다.

"나라가 멸망한 것도 하늘의 뜻이고 대당의 힘을 빌려 나라를 일으키는 것도 하늘이 뜻이다. 형의 마지막 부탁이다. 왜군을 돌려보내고 항복하라."

"하늘의 뜻을 운운하는 형님의 모습을 보니 구역질이 나오. 이제 형제의 의를 끊겠소. 이 강물 위에서 하늘의 뜻이 어디 있는지 한번 겨루어봅시다."

노키미오미가 짜증을 냈다.

"폐하, 저놈들과 흥정하려 왔습니까? 단숨에 몰살시키겠소."

"당나라 술수에 넘어간 태자는 짐의 형이 아니오. 대장군의 뜻대로 공격하시오."

풍의 말이 채끝나기도 전에 노키미오미가 명령했다.

"당군선을 모두 궤멸시켜라, 병사들아."

3백 척의 왜선이 당군선이 쫓기 시작하니 유인궤도 지지 않으려는 듯이 명령했다.

"달라붙는 왜선애 화살을 쏘아 왜병을 죽여라. 대당의 병사들아."

"네, 장군님."

당군선과 왜선이 화살로 공방전을 버리니 화살 날아가는 소리와 병사들의 비명소리가 구름속까지 파고들었다. 이렇게 공방전을 버리면서 싸우던 당군선이 방향을 틀고 도망치자 노키미오미는 승리가 눈앞에 온 것 같았다.

"당군선의 퇴로를 차단하라. 승리는 우리 것이다."

유인궤도 맞대응을 했다.

"달라붙는 왜선에 불화살을 쏘아라."

불화살이 날아갔지만 왜선에 미치지 못하고 강물로 힘없이 떨어졌다. 노키미오미는 풍이 보라는 듯이 큰소리로 외쳤다.

"저렇게 무능한 놈들이 어떻게 백제를 멸망시켰는지 알 수 없다. 당군선을 궤멸시켜라."

선봉에선 다꾸츠가 말렸다.

"더 이상 쫓으면 안 됩니다. 유인궤의 전략에 말려들고 있습니다."

"전략 같은 소리 하지 마라. 허겁지겁 도망치는 저놈들을 보아라, 하하하."

"웃을 일이 아닙니다, 대장군."

"걱정 마라. 나도 생각이 있다."

다꾸츠는 입을 다물었다. 이렇게 쉽게 당군을 물리친다는 것은 꿈에도 상상하지 못했다. 하지만 허겁지겁 도망치는 당군선을 보면서 정말 약하지 않나 의구심이 들었다. 더욱 왜군을 들뜨게 만든 것은 후미에 뒤쳐져 있던 당군선 한 척이 불화살에 맞아 화염에 휩싸이기 시작했다. 왜군이 괴성을 내질렀다.

“당군선이 불타고 있다. 당군의 수급을 잘라 상금을 받자.”

왜군이 당군선으로 올라가 백병전을 시작하니 강물이 당군의 피로 붉게 물들어갔다. 노키미오미가 자신의 전략을 자랑하듯이 목소리를 높였다.

“폐하, 당군의 명성이 거짓이라는 것이 증명되었소. 내일은 우리 왜선 1천 척이 일제히 당군을 공격할 것이요. 이제 당군의 전력을 알았으니 백강 하구로 돌아가겠소.”

풍이 고개를 숙였다.

“전광석화처럼 몰아지는 대장군의 작전에 누가 감히 범접하겠습니까? 정말 대단했습니다.”

“폐하, 내일 해전을 더 지켜봐 주십시오. 오늘보다 더 좋은 선물을 드리리다.”

왜군과 당군의 일차전이 왜군의 일방적인 승리로 끝이 났다. 비록 당군선 한 척을 불태웠지만 병사들의 사기를 일으키는 데는 이보다 더 좋은 특효약이 없었다.

륭은 밤잠을 설쳤다. 승하하신 부왕이 나타나 꾸짖더니 모후가 나타나 피눈물을 흘렸다. 말씀은 안 하셨지만 골육상쟁을 질

타하는 것처럼 보였다. 부왕과 모후에게 무릎을 꿇고 빌고 빌었다. 부왕과 모후의 손을 잡으려 했지만 륭의 손을 뿌리치면서 강물 속으로 사라졌다.

"아바마마, 소자는…."

륭의 괴성에 군막을 지키고 있던 병사가 들어왔다.

"무슨 일이 일어났습니까?"

"아니다. 내가 잠시 악몽을 꾼 것 같다. 그래 밖의 상황은 어떠하냐?"

"지금 병사들이 승선하고 있습니다. 곧 전투가 벌어질 것 같습니다."

"알겠다. 물러가라."

륭은 불길한 예감이 들었으나 그 예감의 끝이 어딘지 알 수가 없었다. 륭이 답답한 마음에 강물을 바라보니 태양이 잔물결에서 춤을 추었다. 곧장 유인궤의 군막으로 들어갔다.

"꿈속을 헤매다가 좀 늦었습니다. 죄송합니다, 장군님."

꿈이란 말에 유인궤의 얼굴빛이 밝아졌다.

"무슨 꿈을 꾸셨기에 죄송하단 거요. 태자, 말씀이나 한번 해보시오."

"승하하신 부왕과 모후를 뵈었습니다."

"부왕과 모후를 뵈었다면 오늘 전투는 우리가 이길 것 같소. 하니 내 작전에 따라주십시오."

"소인이 맡을 중책은 무엇인지 말씀만 해주시면…."

"당군선 한 척을 불태운 왜군은 우리 당군을 얕잡아보고 밀어붙일 것이요. 나는 50척의 당군선으로 백강 상류로 왜선을 유인할 것이오. 태자는 좌측의 강기슭에 50여 척의 당군선을 매복시키고 있다가 왜선이 지나가면 후미를 차단하고 불화살로 공격하시오. 사정을 보아주면 안 됩니다."

"사정이라뇨. 설령 그곳에 풍이 있다 해도 살려주지 않을 것입니다. 그런데 우측은…."

"우측은 염려하지 마시오. 두상이 맡을 것이니…."

륭은 군령을 받고 백강의 좌측에 당군선 50척을 숨겼다. 우측도 두상의 당군선 50여 척이 왜선을 기다렸다.

태양이 중천에 걸리자 유인궤의 대장선이 왜선을 유인하기 위해 북과 꽹과리를 치면서 백강 하구로 물살을 갈랐다. 노키미오미는 유인궤의 대장선이 백강 하구에 나타나자 작전을 하달했다.

"어제는 사정을 봐주었지만 오늘은 용서치 않겠다. 나는 아지마사를 선봉으로 당군선을 공격하겠다. 다꾸츠는 폐하를 모시고 왜선을 엄호하라."

"1천 척이나 되는 우리 왜선이 좁은 백강에서 일제히 공격한다면 역으로 당할 수 있습니다. 유인궤의 작전을 보아가면서 전투에 임하시는 것이 좋을 것 같습니다."

"네놈은 입이 열 개 있어도 할 말이 없다. 주류성을 비운 것부터 마음에 들지 않는다. 네놈도 보았지 않느냐? 당군선을 궤멸시키는 우리 왜군의 전투력을 말이다. 네놈이 맡은 일이나 잘해라."

풍이 다꾸츠의 팔을 잡아당겼다. 잘못했다가는 당군과 싸우기도 전에 아군끼리 분란만 생길 것 같았다. 노키미오미의 작전대로 왜선 1천 척이 백강 상류로 물살을 가르자 유인궤의 대장선이 주춤거리다가 방향을 틀었다.

"유인궤의 대장선이 도망간다. 잡은 자는 수천 금의 상금을 주겠다."

사냥감을 발견한 왜선이 유인궤의 대장선을 쫓기 시작했다. 유인궤는 달라붙는 왜선을 보고 병사들에게 명령했다.

"백강 상류로 왜선을 유인해라. 너무 떨어지지 말고 가까이하지도 마라."

노 젓는 병사들의 솜씨가 기러기가 날갯짓을 하는 것처럼 노련했다. 그러나 노키미오미는 유인궤의 작전을 간파하지 못하고 더욱 괴성을 질렀다.

"단숨에 당군선을 궤멸시키고 주류성 가는 길을 열어라. 공격하라."

"안됩니다, 우리 군이 백강의 물살과 기상도 파악하지 못했는데 전면전이라니, 더구나 당군이 도망치기 바쁜데 무슨 흉계가 있는 것이 분명합니다."

선봉에 선 아지마사가 말리자 노키미오미가 대노했다.

"이놈아, 승기를 잡을 때는 망설이 말고 단숨에 몰아쳐야 한다. 무사의 본분을 아는 놈이 도망칠 궁리만 하다니 잔말 말고 당군선을 수장시켜라."

아지마사는 난감했다. 백강에 온 지 이틀도 지나지 않아 당군과 접전하고 있다. 백강의 기상조건은 물론 지리적 조건도 파악할 시간이 없었다. 이런 악조건에 당군선 한 척을 불태웠다고 전쟁에 승리한 것처럼 들떠있는 대장군도 문제지만, 1천 척이나 되는 왜선을 좁은 백강으로 몰아넣은 것이 자멸로 가는 길이 아닌가 생각하니 눈앞이 깜깜했다.

"백강 상류에 당군선이 숨어 있습니다. 더 나갔다가는 뱃머리를 돌릴 수도 없습니다."

"네놈도 백제에 있더니만 겁쟁이가 되었구나. 우리 1천척의 위용을 보아라, 얼마 되지 않는 당군선이 숨어 있다고 대장군인 내가 물러설 줄 것 같으냐. 더 이상 명을 거역하면 참수하겠으니 당군선을 추격하라."

아지마사는 두 손을 들었다. 패전이 임박한 것처럼 마음이 무거웠지만 주군이 명령을 내리면 불속이라도 뛰어 들어가야 하는 것이 무사의 본분이었다. 대장군의 작전대로 유인궤만 잡으면 전쟁은 끝나지 않을까? 생각하면서 명령했다.

"유인궤의 대장선에 불화살을 쏘아라. 유인궤의 수급에 천금의 상금이 걸렸다, 병사들아."

왜군이 쏜 불화살이 날아갔으나 유인궤의 대장선에 미치지 못하고 강물에 떨어졌다. 그리고 썰물이었던 강물이 밀물로 바뀌면서 왜선 1천 척을 당군의 안마당으로 밀어 넣었다.

청명한 가을하늘을 검은 구름이 덮어버렸다. 누가 적이고 아군인지 한 치 앞을 볼 수 없을 정도로 강물이 요동쳤다. 그제야 노키미오미는 유인궤의 작전을 간파했다.

"청명한 하늘을 구름이 덮다니 하늘이 우리를 돕지 않는구나. 우리 왜선이 궤멸되기 전에 뱃머리를 돌려라."

노키미오미의 명령에 아지마사의 얼굴색이 급변했다.

"좁은 백강이라 뱃머리를 돌릴 수 없습니다. 대장군."

"네놈은 내 명령에 반기만 드니 정말로 죽고 싶으냐? 당군선의 공격을 막으면서 퇴로를 찾아라."

노키미오미의 명령을 비웃듯이 유인궤의 목소리가 어둠의 장막을 뚫었다.

"왜선을 모조리 불태워라. 해골선은 왜선의 중앙을 파고들어가 낙엽과 같은 왜선을 모두 궤멸시켜라."

좌우측 강기슭에 숨어있던 륭의 당군선과 두상의 당군선이, 왜선 1천 척을 향해 불화살을 쏘면서 후미를 차단했다. 어둡던 하늘이 당군의 불화살에 대낮처럼 밝아졌다. 왜선이 화염에 싸이고, 해골선이 좌충우돌하면서 밀어붙이니 지옥이 따로 없었다.

풍은 당혹했다. 당군선 십여 척이, 풍이 타고 있는 왜선의 퇴로를 차단했다. 앞으로 나갈 수도 없고 뒤로 물러설 수도 없었다. 다꾸츠가 피눈물을 흘렸다.

"폐하, 이 해전은 처음부터 진 해전이었습니다. 이젠 뱃머리를 돌릴 수밖에 없습니다."

"노키미오미의 대장선이 불타고 있는데 뱃머리를 돌린단 말인가? 죽어가는 병사들의 비명소리가 들리지 않는가? 짐도 이곳에서 죽겠다."

"폐하를 잘못 모신 소신은 백 번 죽어도 싸지만 일국의 군왕이 이곳에서 개죽음을 당할 수는 없사옵니다. 후일을 도모하십시오."

"다꾸츠 장군의 말씀대로 하십시오."

친위군 병사들도 다꾸츠에게 힘을 보탰다. 전황은 돌이킬 수 없었다. 살고 싶어도 빠져나갈 구멍이 없었다.

"소신이 폐하의 퇴로를 열어드리겠사옵니다. 걱정 마십시오."

"저렇게 많은 당군선을 두 척으로 어떻게 대항한단 말이냐?"

"두 척밖에 되지 않지만 모두 폐하를 모신 병사들이옵니다. 죽음을 각오하고 당 군선을 막을 겁니다. 그때 빠져나가십시오."

"짐을 위해 병사를 희생시키겠다는 말인가?"

"나라가 다시 선다면 병사들도 구천에서 춤을 출 것입니다."

"다꾸츠 장군, 그렇게까지…."

다꾸츠는 비호처럼 풍의 퇴로를 열어줄 왜선에 올라탔다. 그리고 병사들에게 호소했다.

"친위군의 병사들아, 우리 왜선에 불을 붙이고 당군선으로 돌진하라. 그것이 폐하를 보호하는 마지막 길이다. 내가 앞장서겠다."

친위군 병사들이 풍에게 마지막 군례를 하였다. 이미 그들은 사람이기를 포기한 듯이 눈에서 불꽃이 튀었다.

"폐하, 부디 옥체를 보존하옵소서."

풍도 눈물을 흘리면서 답했다.

"무능한 짐을 용서해라."

다꾸츠가 명령하듯 말했다.

"폐하, 왜국으로 가십시오."

"짐이 무슨 낯으로 왜국으로 가겠느냐? 고구려로 가서 원병을 청하겠다."

"그럼 소장은…."

다꾸츠가 말을 끝냈다. 화염에 쌓인 다꾸츠의 왜선이 당군선에 부딪치자, 불이 당군선으로 옮겨 붙었다. 친위군 병사들이 불붙은 당군선에 올라가니 다꾸츠가 명령했다.

"주군을 지키는 것이 우리의 의무다. 죽음으로 폐하의 퇴로를 열어라."

"걱정 마십시오. 장군님."

하지만 승리는 다꾸츠의 편이 아니었다. 잠시 당군선을 멈출 수 있었지만 전력이 뒤진 친위군 병사들이 하나둘씩 당군의 창검에 쓰러졌다. 다꾸츠는 풍이 탄 왜선이 보이지 않자 하늘을 보고 미친 듯이 웃었다.

"하늘이 주군을 버리지 않았구나? 마지막으로 하늘에 제물을 드리리라. 으하하하."

다꾸츠가 달려드는 당군을 양쪽 겨드랑이에 껴안고 강물로 뛰어내렸다. 유령선처럼 뼈대만 남은 다꾸츠의 왜선도 주인을 따라 강물 속으로 사라졌다. 륭은 풍의 퇴로를 열어준 장수의 충절에 할 말을 잃었다. 그 장수가 왜인이라는 사실에 충격을 받았다.

"풍아, 다시 만나지 말자. 잘 가거라."

거세게 몰아치던 강바람도 강물의 울음소리도 작아졌다. 그리고 어둠에 신음하던 하늘이 청명해졌다. 유인궤는 괴성을 지르듯 하늘을 보고 외쳤다.

"이제 남은 것은 빈 성이나 다름없는 주류성과 임존성뿐이다. 단숨에 몰아쳐 잔적들을 모두 몰살하겠노라. 하하하."

유인궤의 웃음소리가 부평초처럼 떠다니는 왜군의 시체를 깨우듯이 음산하게 울려 퍼졌다. 슬픈 백강의 하루였다.

20장 새 생명

유인궤의 승전을 보고 받은 김법민의 얼굴이 심하게 일그러졌다. 김유신도 소태 씹은 것처럼 씩씩거렸다.

"폐하, 백강해전에서 유인궤가 백제의 왕통을 계승하게 해주겠다고 망국태자에게 호언장담 했다 합니다. 이 전쟁의 끝이 백제인지 신라인지 모르겠사옵니다. 임존성에서 미적거릴 것 없이 철군하옵소서."

김유신이 목소리를 높이자 김법민은 비답을 내리기가 쉽지 않았다. 망국태자가 잔적을 소탕할 미끼라는 유인원의 언질에 잠시 접어두었다. 그런데 유인궤의 호언장담은 농담으로 넘길 일이 아니었다.

"짐도 당나라의 이중적인 태도를 모르는 바가 아니나, 이런 이유로 당나라와 맺은 동맹을 파기한다면 창끝을 우리에게 돌릴 것이오. 하니 중론을 모아보시오."

문충이 김법민의 속내를 알아챘다.

"우리 백성들은 당군의 군량을 대기 위해 3년 동안 초근목피로 연명해 왔사옵니다. 또한 전쟁과 역병으로 젊은 장정이 죽어나가 남편 잃은 과부만 저잣거리를 배회하고 있는 실정입니다. 나라의 형편이 이와 같은데 들개처럼 날뛰는 지수신을 잡기 위해 진을 뺄 필요는 없습니다. 유인원에게 사자를 보내 신라의 어려운 형편을 알려주옵소서."

"소신 진주, 한 말씀 올리옵니다. 임존성은 소정방도 손을 든 철옹성이옵니다. 우리 군이 한 달 이상 공략을 했지만 헛수고였습니다. 우리 군의 사기도 전만 못하니 철군하면 유인원인들 별 수 있겠사옵니까? 철군을 가납 하옵소서."

김흠순도 말을 보탰다.

"당나라가 신라를 이용해 백제를 멸하더니 이제 망국태자로 하여금 신라를 멸하려고 수작을 벌이고 있사옵니다. 당나라와 동맹을 계속하되 가까이해서는 아니 되옵니다. 임존성을 오만 불순한 유인궤에게 맡기고 철군하옵소서."

충상이 반대 의견을 냈다.

"한 달을 가까이 임존성을 포위해 놓고 철군을 한다면 지수신과 잔적들의 기만 살려 주는 것이옵니다. 피로에 지친 병사들의 군기를 바로 세우고 공략을 다시 한다면 천하의 지수신도 임존성에서 기어 나올 수밖에 없사옵니다."

김품일이 김법민의 눈빛을 살피면서 말했다.

"폐하, 유인궤의 말 한마디를 꼬투리 잡아 철군을 감행한다면 망국 백성들의 웃음거리가 될 것이 옵니다, 더구나 이번 임존성의 공략은 폐하께서 직접 친정하셨으니 끝을 보아야 하옵니다. 충상 장군의 말씀대로 군기를 바로 세워 폐하의 위엄을 보이소서."

장수들의 중론에 고심하던 김법민이 비답을 내렸다.

"철군에 반대하는 분도 계시지만 한 번쯤은 당나라의 콧대를 꺾는 것도 나쁘지 않을 것 같소. 더구나 지수신의 항전에 병사들의 피로는 누적되고 부상자가 속출하니 잘못했다가는 철군은 고사하고 임존성의 성곽에 뼈를 묻을 것만 같소. 병부령 천존은 짐의 친서를 웅진도독에게 전해주고 오해 사지 않게 설명해주시오."

한 달 이상 임존성을 포위하고 있던 신라군이 스스로 물러갔다. 백제군은 당분간 위기를 모면할 수 있지만 당군으로서는 전력 차질을 가져올 수 있는 엄청난 반전이었다.

신라군의 철군에 한숨 돌린 지수신과 사타상여가 신라군이 떠난 군영을 돌아보았다. 얼마나 철군이 급했는지 다 챙기지 못한 보급물자가 군영 곳곳에 나뒹굴어 다니고 있었다. 지수신은 백강해전이 마음에 걸렸다.

"신라군이 철군했지만 왜군이 패했으니 앞으로 닥칠 전쟁을 어떻게 극복할지 모르겠소."

사타상여가 지수신의 의중을 넌지시 떠보았다.

"구심점이 되어야 할 폐하께서 고구려로 도망쳤으니 끝을 보지 않아도 알 것 같습니다만 성주님의 계획은…."

"한 사람이 남더라도 싸워야지 않겠습니까? 백성들에게 역적 소리는 듣지 않겠소."

풍이 고구려로 도망친 현실에 지수신이 마음을 돌릴 수 있건만 망부석처럼 움직이지 않았다.

"그 말씀은 알겠지만 공주님이 있지 않습니까. 저하를 다시 한 번 생각해 보시오."

"나도 그 점을 안타깝게 생각하고 있소. 하나 저하는 군왕의 재목이 아니니 더 이상 거론하지 마십시오. 심히 불쾌하오."

풍이 고구려로 도망친 현실에 지수신이 마음을 돌릴 수 있건만 망부석처럼 움직이지 않았다.

태양이 봉수산 마루를 붉게 물들이자 주인이 떠난 논밭에 철새들이 날아들었다. 이들은 다시 대련사로 발길을 돌렸다. 하지만 대련사 앞마당에 살풍경이 벌어졌다. 주류성에 있어야 할 덕집득이 대련사 주지 각종에게 문초를 받고 있었다.

"네 이놈, 도침 선사와 상좌평을 죽이고 이제 누구를 죽이려고 대련사에 나타났느냐?"

각종의 호통에도 덕집득은 얼굴색 하나 변하지 않았다.

"도침 선사를 죽인 것은 바로 상좌평이었소. 내가 주지스님의 원수인 상좌평을 죽였소. 상을 주기는커녕 닦달하니 너무하지 않소."

"상좌평이 무엇이 답답해서 도침 선사를 죽였겠느냐? 궤변을 늘어놓지 말고 이곳에 온 목적이나 말해라."

"무슨 목적이 있겠소. 주류성이 함락되었으니 원병을 청하러 온 것이오."

"주류성의 지척에 있는 흑치상지에게 원병을 청하면 될 것을.

내가 네놈의 말을 믿을 것 같으냐?"

"흑치상지가 유인궤에게 가림성을 내주었소. 그러니 어디서 원병을 청한단 말이요."

"네놈이 상좌평도 모자라 흑치상지까지 모함하고 있구나? 너 같은 간신배를 살려둘 수 없다."

각종이 검을 빼는 순간, 지수신이 큰소리로 외쳤다.

"잠깐만 참아주시오. 부처님을 모신 절에 피를 보지 마시오, 주지 스님."

지수신의 목소리에 덕집득은 살길이 생겼다는 듯이 목소리를 높였다.

"성주님, 소장은 나라에 충성한 죄밖에 없습니다. 살려주십시오."

"권력에 취해 있던 장군이 상거지 차림으로 대련사에 나타났으니 반갑게 맞아야 할지 아니면 참수해야 할지 모르겠소. 하나 죽고 사는 것은 장군의 입에 달렸소. 잘 선택해 답변하시오."

"소장이 권력에 취하다니요. 절대 아닙니다."

"변명은 그만두고 주류성의 함락은 무엇이고, 흑치상지가 가림성을 유인궤에 내주었다는 것이 사실이오?"

덕집득은 한숨을 내쉬면서 그간 전황을 설명했다,

"유인원이 주류성을 포위하였을 때만 해도 대장군 충승의 전략으로 승기를 잡았습니다. 하나 백강해전에서 승리한 유인궤가 태자를 앞세워 주류성을 공략하니 전세는 반전되었습니다. 결국 태자를 알아본 병사들이 어느 편을 들지 갈피를 못 잡고 우왕좌왕하는 사이, 유인궤가 힘 안 들이고 주류성을 점령했습니다. 흑치상지도 이때를 맞추어 유인궤에게 가림성을 내주었습니다."

사타상여의 얼굴색이 급변했다. 설마 했는데 결국 일이 터졌다.

"흑치상지가 이곳에 없다고 모함하고 있구나? 네놈의 혀는 뱀보다도 더 독하다."

"그대가 모른다고 시치미를 떼다니 가소롭다. 후후후."

"역적놈이 나를 조롱해? 내가 먼저 네놈의 목을 치겠다."

사타상여는 넉살스럽게 웃고 있는 덕집득의 턱쪼가리를 보고 있으려니 심히 불쾌했다. 장검을 빼 들었다. 지수신은 겁이 덜컥 났다. 잘못하면 임존성의 군심도 두 조각이 날 것 같았다.

"참으시오. 저놈은 장군의 검에 피를 묻힐 위인도 못 되는 자요."

"저런 놈이 폐하의 곁에 있었으니 나라가 절단 날 수밖에…."

사타상여는 혀를 차면서 물러섰다. 지수신이 덕집득을 꾸짖었다.

"흑치상지가 가림성을 내주었다는 것은 시간이 지나면 알 수 있지만 네놈의 죄는 용서할 수 없다. 하나 마지막까지 항복하지 않고임존성에 온 것을 참작해 목숨만은 살려주겠다. 이것이 친구로서 마지막 배려다."

각종이 눈에 불을 켰다.

"안 됩니다. 이자를 살려주면 구천에 계신 도침 선사와 상좌평을 무슨 낯으로 뵐 것입니까?"

"이런 자를 죽인다 한들, 도침 선사와 상좌평이 살아오겠습니까? 차라리 모진 목숨을 살려주어 자신의 죄를 스스로 깨닫게 하는 것이 좋을 것입니다."

각종은 부처님의 제자로서 할 말이 없었다.

"중놈이 살생만 생각하고 있어 심히 부끄럽소. 성주님의 뜻대로 하십시오."

덕집득은 지수신과 율의 첫 만남이 생각났다. 고마미지현에 나타난 지수신과 율은 자신의 눈을 의심할 정도로 선남선녀였다. 이런 인연으로 궁벽한 고마미지현의 현령에서 권신 반열인 달솔까지 단숨에 올라섰다.

하지만 너무 숨차게 달려와서인지 적과 싸우는 전술마다 실패를 거듭했다. 그것을 변명하기 위해 일을 꾸미다 보니 자신의 뜻과는 달리 정반대로 가버렸다.

"성주님이 저를 이끌어 주셨으나 능력 부족으로 나라를 혼란에 빠뜨렸습니다. 천관산에 들어가 머리를 깎고 수도승이 되겠습니다."

덕집득이 수도승이 되겠다고 하자 각종이 덕집득을 일으켜 세웠다.

"장군이 속세의 인연을 끊고 부처님의 제자로 거듭나겠다 하니 더 이상 겁박하지 않겠소. 부디 속세의 잘못을 뉘우치고 부처님의 제자로 거듭나시오."

"고맙습니다, 주지스님."

지수신은 천관산으로 떠나는 덕집득의 축 늘어진 어깨를 바라보았다. 헤어지면 구천에서나 만날 것 같았다. 간신배 소리를 들으면서 나라를 벼랑 끝에 내몰았지만 심성만은 순박했다. 지수신과 달리 사타상여는 분이 풀리지 않았다. 마지막까지 흑치상지를 거론하니 불쾌했다.

"성주님, 외곽에 설치한 목책을 점검하겠으니 먼저 들어가십시오."

"알겠습니다. 사타상여 장군."

지수신은 사타상여가 목책을 점검한다 하니 한편으로는 의심이 들었으나 성밖의 방어망은 한 번쯤은 점검이 필요했다. 사타상여가 눈앞에서 사라지자 각종에게 말했다.

"덕집득의 말대로 흑치상지가 임존성을 공략한다면 수성하기가 쉽지 않을 것 같습니다."

"흑치상지의 항복은 사타상여와 연관해 보십시오. 잘못하면 내부의 종기가 더 위험할 수 있소."

"소장은 사타상여와 많은 전장에서 생사를 같이 했습니다. 결코 나라를 배신할 장수가 아닙니다."

"두고 보면 아시겠지만 사타상여는 성주님의 사람이 아닙니다. 그러니 소승의 말을 믿고 경계심을 늦추지 마십시오."

"으악…."

각종의 충언이 지수신의 가슴속을 파고드는 순간, 무한천에서 비명소리가 들렸다. 마치 지수신을 보고 살려달라고 애원하는 것 같았다.

."덕집득이 천관산에 가지 못하고 물고기 밥이 된 것 같소. 나무아미타불 관세음보살."

각종이 무한천을 바라보면서 합장을 했다.

"물고기 밥이라뇨. 조금 전에 떠났지 않습니까?"

"떠났지만 저승사자가 뒤따라갔지 않았소."

지수신은 비명소리의 주인공이 덕집득이라는 것을 비로소 알아챘다. 사타상여가 목책을 점검하러 간다고 말할 때 눈치챘어야 했다. 지수신도 비명소리가 들린 무한천을 향해 합장을 했다.

유인궤는 백강 해전에서 왜군을 물리치고 그 여세를 몰아 주류성을 함락시켰지만 마음이 편치 않았다. 김법민이 이유 같지 않은 이유를 들어 임존성의 포위를 풀고 철군해 버렸다. 김범민의 행동이 괘씸하기도 했지만, 임존성이 자신의 공명을 세울 마지막 도구라고 생각하면서 전략을 구상하고 있는데 가림성을 통째로 바친 흑치상지가 나타났다.

“소장에게 병력을 내주시면 임존성을 함락시키고 지수신의 수급을 받치겠습니다.”

“임존성의 사정을 잘 아는 장군이 나서 준다면 그보다 좋은 일이 어디 있겠소. 하지만 ….”

“뜸 들이지 말고 지금 당장 결정해 주십시오.”

“왜 그렇게 지수신을 못마땅하게 생각하고 있소. 너무 서두르는 것 아니요.”

“지수신은 저하에게 반기를 든 자요. 그런 자가 백제의 장수라는 것이 부끄럽습니다.”

“그런 이유라면 웅진도독과 한번 상의해 보겠소. 하나 믿지는 마시오.”

유인궤는 흑치상지가 임존성의 공략을 집요하게 서두르는 이유를 어렴풋이 알고 있었다. 소정방이 눈 여겨 보라던 공주와 지수신이 혼례를 치렀다는 소문이 백강의 물길을 타고 유인궤의 귀에까지 들어왔다. 황제 폐하께 바쳐 영달을 꿈꾸었던 욕망도 물거품이 되었다.

하지만 기회가 영영 사라진 것은 아니었다. 흑치상지의 항복을 유도하기 위해 온갖 술책을 다써는데 목석같은 흑치상지가 흔들리기 시작했다. 가림성을 통째로 바치고 임존성의 공략에 선봉을 자청했다. 흑치상지의 대답이 거짓인줄 알고 있지만 사실처럼 들렸다. 곧바로 유인원의 군막을 찾았다.

"도독님, 흑치상지가 병력을 내주면 임존성을 함락시키고 지수신의 수급을 바치겠다고 호언하고 있습니다."

"그자는 합하께 항복했다가 도망친 표리부동한 자 아니요. 어찌 그런 자에게 병력을 내준단 말이요. 장군은 생각이 있소."

"이번만은 다릅니다. 흑치상지가 연모하고 있는 공주를 지수신에게 빼앗겼습니다. 이를 잘만 이용하면 임존성의 함락은 식은 죽 먹기입니다. 허락해주십시오."

"그런 이유라면 흑치상지의 속내를 알 것 같소. 하나 장군이 추천하니 당군 1만을 내주겠소."

유인궤는 웅진도독 유인원에게 군령장을 써주고 군막을 나오니 이마에서 주먹만 한 구슬땀이 뚝뚝 떨어졌다. 유인궤가 화풀이할 곳을 찾던 중, 륭과 흑치상지가 눈에 잡혔다.

"태자와 장군이 나를 감시하듯 졸졸 따라다니니 어디 한번 숨이라도 제대로 쉴 수 있겠소."

유인궤가 생각지도 않게 화를 내자 흑치상지가 목소리를 낮추었다.

"도독께서 허락을 하셨지요. 한데 얼굴색이 좀…."

"내가 장군을 위해 웅진도독에게 군령장을 써주고 왔소. 하니 지수신의 수급을 가져오시오, 아시겠소?"

"지수신의 수급정도야, 걱정 마십시오."

흑치상지 장담에 륭의 얼굴색이 밝아졌다.

"흑치상지는 허튼 소리를 하는 사람이 아니니 믿어보십시오."

유인궤가 륭의 눈빛을 살피면서 말했다.

"지수신은 태자의 매제이고 공주는 동생인데 말로서 항복을 권하면 안 되겠소? 그리만 되면 병사들이 피를 안 흘려도 될 것 같은데…."

"설득도 해보고 회유도 해보았습니다만 지수신은 고지식하고 융통성이 없습니다. 밀어붙이는 황소고집이라고 할까. 저와 같은 배에서 태어났지만 율도 지수신에 못지않습니다. 흑치상지와 맺어주려고 온갖 노력을 다했지만 지수신의 품에 안겼습니다."

유인궤가 흑치상지의 오장을 뒤틀리게 했다.

"혹시 질투로 병력을 요청했다면 지금이라도 멈추시오. 사나이로서 할 짓이 아니오."

"오해십니다. 소장은 그런 옹졸한 놈이 아닙니다."

흑치상지가 목소리를 높이자 륭이 나섰다.

"흑치상지는 결코 율로 인해 일을 그르칠 장수가 아닙니다. 말씀이 좀 과하신 것 같습니다."

"태자는 내 뜻을 모르는 것 같소. 자고로 계집이 끼어있는 전쟁은 늘 패전이 뒤따랐소. 감정으로 전투에 임하지 말고 냉철한 판단으로 전술을 짜란 뜻이요."

흑치상지는 불쾌했지만 참았다. 아니 참을 수밖에 없었다. 한

마디로 유인궤의 심기를 건드리면 임존성의 공략이 수포로 돌아갈 수밖에 없었다.

"명심하겠습니다, 유인궤 장군님."

"더 이상 말하지 않겠소. 다만 황제 폐하의 신하로서 처음 출병이니 공을 세워 황은에 보답하시오."

흑치상지는 유인궤에게 무릎을 꿇듯이 허리를 굽혀 인사를 했다. 임존성을 함락시키고 지수신만 죽이면 율이 품 안에 안길 것만 같았다. 홍당무처럼 붉어졌던 얼굴이 평상심으로 돌아왔다. 유인궤를 따라 1만의 병력을 인계받기 위해 군영으로 발걸음을 옮겼다.

율은 흑치상지가 항복했다는 소문이 믿기지 않았는데. 그가 적이 되어 임존성을 함락시키겠다는 첩보가 들어왔다. 하지만 율의 마음을 더 괴롭히는 것은 흑치상지의 가슴속에 웅크리고 있는 지수신에 대한 질투였다.

결국 자신이 전쟁의 중심에 서 있다고 생각하니 백성과 병사들에게 차마 얼굴을 들고 다닐 수가 없었다. 또한 첫날밤을 치른 것을 증명이라도 하듯 몸에 새 생명이 자리 잡기 시작했다.

"흑치상지가 이성을 잃은 것 같아요. 이 모두가 저로 인해 발단되었어요."

"흑치상지가 저하의 가신이었다는 것은 모르는 사람이 없습니다. 결코 공주님의 탓이 아닙니다."

"아무리 그래도…."

율은 불안한 눈빛으로 지수신을 바라보았다. 그리고 새 생명이 자리 잡고 있는 아랫배에 지수신의 손을 살며시 잡아끌었다. 하지만 지수신은 율의 행동을 무심코 지나쳤다.

"우리 가망 없는 전쟁은 그만두고 멀리 도망가서 편히 살아요. 전쟁이 지긋지긋해요."

"호랑이처럼 매서운 공주님이 심약한 소리를 하는 것 보니 비로소 여자로 보입니다. 하나 너무 걱정 마시오. 공주님과 인연은 쉽게 끝나지 않아요. 이럴 때일수록 마음을 단단히 가지십시오."

예전 같으면 바늘 가는 곳에 실 가듯 무장을 하고 지수신을 따라 나섰지만 무거워진 몸을 감당하기 어려웠다. 오직 선을 말동무 삼아 집안일을 하는 것이 유일한 낙이었는데 선이 보이지 않았다.

"조금 전까지만 해도 동생이 있었는데…"

"공주님이 보살펴 주십시오, 외로운 아이니…."

율이 지수신의 귀에다 속삭이었다.

"제 몸에 당신의 씨앗이 자라고 있어요. 부디 몸조심하십시오."

아쉽게도 휘몰아치는 북풍에 율의 속삭임은 지수신의 귀에 들어가지 못하고 산산이 조각나버렸다. 소정방이 쳐들어왔을 때만해도 임존성에는 기라성 같은 장수들이 많았다.

이제는 사분오열되어 장수라고는 눈 씻고 보아도 보이지 않았다. 사타상여가 있다고 하나 흑치상지를 따르는 장수라 언제 변심할지 모르는 일이었다.

흑치상지와 마지막 대결을 위해 성루로 발걸음을 옮기는 지수신의 뒷모습이 쓸쓸하게 보였다. 율이 참고 있던 울음을 터뜨렸다. 하늘에 떠있는 구름도 지나가던 바람도 율의 울음에 숨을 죽였다.

“공주님, 아무리 가슴 아파도 뱃속의 아기씨를 보아서 힘내셔요.”

율이 눈물을 닦으면서 뒤돌아보니 선이었다.

“아기를 걱정할 틈이 없어, 흑치상지가 오랑캐의 선봉이 되었으니 남편 혼자서 버틸 수 있을지 모르겠어.”

“각종 스님과 승병이 있잖아요. 너무 걱정 마셔요.”

“승병이 힘이 되면 얼마나 되겠어. 이번은 임존성의 수성이 힘들 것 같아.”

“백성들과 병사들이 한마음으로 싸우면 흑치상지도 제풀에 꺾여 물러날지 누가 알아요. 좀 더 기다려 봐요.”

선의 말에 율이 자리를 떨고 일어났다.

“아니야, 나도 흑치상지와 싸우겠어.”

“몸이 무거운데 어떻게 오라버니를 도울 수 있어요? 오라버니의 짐만 되어요. 참으세요. 공주님.”

"남편 혼자 싸우는 모습을 도저히 지켜볼 수 없어. 죽든 살든 남편 곁에 있겠으니 그리 알아."

율이 무장을 하고 집을 나서니 성곽을 지키고 있던 병사의 절박한 목소리가 임존성에 울려 퍼졌다.

"반역자 흑치상지가 당군의 사냥개가 되어 왔다. 성주님에게 알려라."

"맞다. 선봉에선 놈이 흑치상지다."

선의 얼굴이 백지장처럼 변했다.

"흑치상지가 온 것 같아요. 공주님."

"그래 빨리 남편 있는 성루로 가야겠어."

임존성이 뿌리째 뽑힐 전운이 다가오자 율은 마음이 급했다. 혼신의 힘을 다해 지수신이 있는 성루로 달려갔다.

임존성이 소정방에게 함락될 직전에 흑치상지의 도움을 받았다. 그때의 승리가 씨앗이 되어 오늘에 이르렀는데, 그 흑치상지가 반역자가 되어 성문 밖에 나타났다. 지수신이 피 토하는 심정으로 호소했다.

"그대가 구원한 임존성을 그대의 손으로 공략하니 참으로 안타깝소. 이제라도 병사를 물리면 백제의 장수로서 만고의 충신이 될 것이요."

"풍의 어리석은 판단으로 나라가 절단 난 것은 성주도 알 것이요. 더구나 백강 하구에서 혼자만 살자고 고구려로 도망쳤소. 이런 한심한 일이 어디 있소. 성주도 왕실 가족이 되었으니 나와 같이 저하를 받들어 나라를 바로 세웁시다."

"풍은 군왕의 재목은 아니지만, 나라를 멸망시킨 당나라와 손잡지는 않았소. 내 비록 무능하고 졸렬하나 장군처럼 당나라의 개가 되지 않겠소."

병사들도 흑치상지에게 침을 뱉었다.

"개돼지만도 못한 흑치상지야, 네놈의 마음속에 흑심이 따로 있는 것을, 누가 모를 줄 아느냐? 더럽다, 퉤퉤퉤."

흑치상지는 병사들의 독설에 기가 한풀 꺾였지만 유인궤에게 장담하고 병력을 요청했다. 흑치상지의 목소리가 돌변했다.

"네놈의 고집으로 인해 백성들과 병사들의 살가죽이 찢어지고 뼈가 가루가 되게 생겼다. 나를 원망하지 마라."

지수신도 맞대응을 했다.

"나라를 배신한 저놈의 입을 봉해버려라."

지수신의 명령에 병사들이 화살을 쏘았다. 잠잠하던 임존성이 전쟁의 소용돌이에 빠졌지만 흑치상지는 멈추지 않았다.

"대당의 병사들아, 잠시 군영으로 퇴각하라. 내가 잔적들의 목을 칠 묘책이 있다."

유인궤가 화를 버럭 냈다.

"화살 한 대 쏘지 않고 병사를 물리다니 이런 난감한 일이 어디 있는가? 공격해 저 교만한 지수신의 수급을 잘라오시오."

"조금만 참으십시오. 지수신을 힘 안 들이고 잡을 묘책이 있습니다."

"지수신의 콧대를 꺾지도 못하면서 무슨 묘책이 있다는 말이요. 저것 보시오. 이리떼처럼 서슬이 퍼런 잔적들의 모습을…."

유인궤의 조롱에도 흑치상지는 믿는 구석이 있는지 얼굴색 하나 변하지 않았다.

"사타상여가 좋은 묘책을 연통해 왔습니다."

"장군의 의제 말씀이오? 그런데 보이지 않지 않소."

"지금 동문에 있습니다. 태자께서 당군 3천을 인솔하고 동문으로 이동하고 있습니다. 동문은 조만간 우리 것이 될 것입니다."

"태자가 동문을 공격한다면 안심은 되겠지만 묘책이 대체 무엇이요."

"백성들을 생포해 방패막으로 세우는 것입니다. 잔적들이 자신들의 식솔에게 화살을 쏠 수 있겠습니까?"

"백성들은 장군과 피를 나눈 사람들 아닌가? 그런 얄팍한 술수로 우리가 이긴들 백성들이 공감하겠소? 왠지 탐탁하지 않소."

"임존성은 천혜의 요새로 소정방도 김유신도 범접하지 못하고 물러났습니다. 극약처방을 잘만 쓰면 백성들의 피를 덜 보는 일입니다. 믿어주십시오."

"장군의 뜻이 그렇다면야 말릴 수는 없지만…."

유인궤의 입가에 알 수 없는 미소가 번졌다. 흑치상지는 사사건건 발목을 잡는 유인궤의 혓바닥을 뿌리 뽑고 싶었으나, 백제인으로 남기보다 당나라인이 되고자 했다. 부장에게 명령했다.

"성 밖의 백성들을 모조리 잡아 군영으로 끌고 와라."

"성 밖에는 늙은이와 어린애들밖에 없습니다. 송장 같은 백성들을 잡아다가 무엇에 쓰려하십니까?"

"이놈아, 잔말 말고 시행하라. 군율을 어길 시 네놈의 목을 자르겠다."

"알겠습니다, 장군님."

흑치상지가 매섭게 몰아붙이자 부장의 얼굴이 돌처럼 굳어졌다. 흑치상지는 더 이상 유인궤와 입씨름을 하고 싶지 않았다. 유인궤의 눈길을 피해 군영을 나왔다. 지수신을 잡을 극약처방이 잘 들을지 모르지만 최상의 선택이었다. 두 주먹을 불끈 쥐었다.

흑치상지의 명령으로 당군이 퇴각하자 병사들의 사기가 요원의 불꽃처럼 피어올랐다. 하지만 경계심을 풀 수가 없었다. 쉽게 물러날 위인이 아니라는 것을 병사들도 알고 있었다.

더구나 율을 빼앗긴 분노가 금방이라도 터질 것처럼 지수신의 마음을 압박했다. 결국 이번 전쟁이 흑치상지와 자존심 싸움이라고 생각하면서 지수신이 성 밖을 바라보고 있는데, 율이 성루로 올라왔다.

“흑치상지의 행동이 수상해요. 병사를 물리니…”

“집에 계시라고 누누이 말했는데 왜 오셨소? 돌아가십시오.”

“집에 있으나 당신 곁에 있으나 죽는 것은 같아요. 마음이 편한 곳에서 죽고 싶어요.”

“철부지처럼 말하시는 것을 보니 병사들 보기가 부끄럽소. 하나 생사는 하늘에 달렸소. 더 이상 말리지 않겠소.”

“이제 당신과 함께 놈들을 물리칠 일만 남았어요. 한데 사타상여가 보이지 않으니 어찌된 일입니까?”

“이곳 성루도 문제지만 동문도 만만치 않아요. 해서 동문 사수를 부탁했습니다.”

“당신은 그렇게 생각이 없어요? 그가 변심하면 임존성은 한 순간에 무너져요.”

“공주님도 알고 계시는 것처럼 믿을 만한 장수가 없으니 다른 방법이 없었어요. 변심하지 않기를 바랄 뿐.”

“그래도 그것만은…”

율의 아쉬움을 뒤로 하고 임존성에 어둠이 짙게 깔리자 병사들은 앞으로 전개될 전투에 서로를 위로했다. 하지만 전황은 급변했다. 각종이 승병을 데리고 나타났다.

“동문에서 사타상여와 태자가 대치하고 있소. 임존성은 이제 벼랑 끝에 몰려 있소.”

지수신은 태자가 왔다는 각종의 말에 당혹했다. 말이 대치지 동문을 내준 것이나 다름이 없었다.

"저하를 직접 보셨습니까, 주지 스님?"

"중놈이 무엇이 아쉬워서 거짓을 말하겠소. 직접 보지는 않았지만 알 만한 사람은 다 알고 있소."

"저하가 직접 올 줄을 꿈에도 몰랐습니다."

"이왕 늦은 것 어찌하겠소. 지금이라도 빨리 대책을 강구하십시오."

율은 태자 오라버니를 직접 만날 기회가 없었다. 보고 싶은 마음이 굴뚝 같았지만 서로가 적이 되었다. 가까이 갈수 있는 길은 항복하는 길밖에 없었다. 두 눈을 지그시 감았다.

"태자 오라버니의 마음을 돌릴 수만 있다면 제가 무엇인들 못하겠습니까? 태자 오라버니를 직접 만나보겠어요."

"안 됩니다. 저하는 공주님이 생각하는 그런 분이 아닙니다. 마음은 알겠지만 흑치상지가…."

각종이 지수신의 손울 잡아끌면서 말했다.

"성주님, 태자와 흑치상지는 오랑캐의 사냥개가 되었습니다. 하니 다른 생각 마시고 동문으로나 갑시다. 사타상여가 변심하기 전에…."

각종의 독촉에 지수신과 율이 동문 성곽을 올라가니 성곽을 밝히는 횃불이 계곡에서 불어오는 칼바람에 꺼질 듯이 비틀거렸다. 왁자지껄하던 산새도 숲속으로 숨어 들어갔다. 그리고 당군이 쏜 수천 발의 불화살이 눈꽃처럼 성안으로 떨어졌다. 지수신이 사타상여에게 부탁했다.

"놈들이 본색을 드러냈소. 동문을 잘 부탁하오, 사타상여 장군."

"동문은 염려하지 않아도 됩니다. 소장이 책임지고 틀어막겠습니다."

각종은 사타상여를 믿을 수가 없었다.

"동문을 공략하는 당군의 지휘관은 다름 아닌 태자요. 가볍게 볼일이 아닙니다."

"태자가 아니라 부처님이 온 다해도 동문은 열리지 않을 것이니 걱정 마십시오."

사타상여의 단호한 목소리에 지수신은 무거운 마음을 내려놓았다.

"알겠소. 그리고 각종 스님, 사타상여 장군을 도와 동문을 지켜주십시오."

"중놈이 어디서 죽은들 어떻겠습니까? 걱정 마십시오."

각종이 사타상여의 우군이 되었다. 지수신과 율이 오던 길을 되돌려 다시 임존성루로 올라갔다. 그런데 성 밖은 살벌했다. 흑치상지가 백성들을 잡아 굴비 엮듯 엮어 최일선에 세웠다. 개중에는 부모형제도 있었다.

"흑치상지가 우리 부모형제를 당군의 방패막이로 세웠다. 화살을 쏘면 부모형제가 다친다. 화살을 쏘지 마라."

지수신의 절규에도 백성들은 태연했다. 그중에서 연장자로 보이는 노인이 큰소리로 외쳤다.

"성주님, 나라에 충성할 길이 없어 한스러웠는데 이제야 길을 찾았소. 주저 말고 화살을 쏘아 당군과 반역자 흑치상지를 죽이시오."

"부모형제가 잡혀있는데 어떻게 화살을 쏘라고 하십니까? 못합니다. 노인장."

노인이 말투를 바꾸었다.

"성주가 우리를 살리려 한들, 흑치상지가 우리를 살려둘 것 같은가? 우리로 인해 임존성이 함락된다면 살아서 무슨 낯으로 하늘을 우러러 보겠느냐? 우리를 살리는 것이, 우리를 죽이는 것을 성주가 모르다니 어서 화살을 쏘아라."

백성들이 피눈물로 호소했다.

"어서 화살을 쏘시오. 그것만이 우리가 사는 길이고 나라에 마지막 충성하는 길이요."

결국 지수신이 명령을 내렸다.

"형제들아, 내가 구천에 가 저분들에게 용서를 빌겠다. 주저 말고 화살을 쏘아라."

병사들은 일제히 활시위를 당겼다. 피눈물을 실은 수백 발의 화살이 허공에 솟구치더니 당군과 포로로 잡힌 백성들의 머리 위에 떨어졌다. 결국 백성들은 병사들이 쏜 화살에 백제유민의 한을 가슴에 안은 채 피를 토하면서 쓰러졌다.

흑치상지는 전황이 꼬이자 당황했다. 백성들을 방패로 지수신이라는 거대한 산을 넘으려 했던 계획이 일순간에 무너졌다. 염소털처럼 생긴 수염을 만지작거리면서, 일거수일투족을 감시하고 있는 유인궤의 눈길이 부담스러웠다.

"당군을 막는 자는 가차 없이 죽여라. 지수신의 목을 가져오는 병사는 천금을 주겠다."

당차를 밀고 끄는 당군의 구령 소리가 임존성의 성곽을 울렸다. 백제군은 개미떼처럼 성곽을 기어오르는 당군과 백병전을 시작했다. 주춤하던 백제군의 사기가 당군을 압도하자 흑치상지의 얼굴색이 변했다. 하지만 믿는 구석이 있는지 흑치상지의 시선이 율에게 옮겨갔다.

"공주님, 동문에 저하가 계십니다. 더 이상 고집 부리지 말고 저하의 뜻에 따르시오."

"임존성을 치기 위해 죄 없는 백성을 인질로 잡은 그대의 죄를 하늘도 용서하지 않을 것이요. 더러운 입으로 내 이름을 거론하지 마시오."

율의 눈빛이 싸늘했지만 이 정도에 멈출 흑치상지가 아니었다.

"왜 그렇게 세상 물정을 모르시오. 임존성은 곧 함락될 것이요.

항복하시오."

"남편과 임존성을 베개 삼아 죽겠소. 설득은 구천에 가서 하시오."

지수신이 큰소리로 비웃었다.

"오랑캐가 네놈을 끝까지 신임할 것 같으냐? 네놈의 말로가 눈에 선하구나. 하하하."

"지수신 네놈이 공주를 망치고 있구나."

"역적인 주제에 감히 누구를 욕하느냐? 정말 가소롭다."

지수신과 흑치상지의 기 싸움도 백병전에 못지않았다. 전쟁의 양상이 한 치 앞을 내다볼 수 없을 정도로 치열했다. 양군의 불화살이 밤하늘을 수놓고, 병사들의 창검 휘두르는 굉음이 봉수산 마루까지 울려 퍼졌다.

임존성의 성문이 열리지 않자 당군은 전의를 상실한 듯이 뒷걸음치기 시작했다. 결국 흑치상지는 륭이 공략하는 동문에 마지막 주사위를 던졌다. 믿는 것은 사타상여의 내응뿐이었다. 지금쯤 동문이 열린 만한데 어찌된 일인지 아무 기별이 없었다. 그쪽의 전황도 녹록지 않은 것 같았다.

륭은 동문이 쉽게 열릴 줄 알았는데, 백제군이 동문 성곽을 공격하는 당군을 필사적으로 막았다. 모든 작전이 수포로 돌아간 것 같아 조바심이 났다. 안타까운 시선으로 동문 성곽을 바라보았다. 사타상여의 곁에 포진하고 있던 각종이 륭의 모습이 보이자 큰소리로 조롱했다.

"나라를 망친 태자가 무슨 염치로 임존성에 왔는가? 오랑캐의 사냥개가 된 것을 선대왕이 아신다면 하늘을 보고 통곡할 것이다."

륭의 얼굴이 시뻘겋게 달아올랐다.

"중놈이 염불이나 할 것이지 일국의 태자를 능멸하느냐? 내가 네놈을 부처님 곁으로 보내주겠다."

"태자란 놈이 원수의 칼잡이 노릇을 하고 있으니 그대의 누이에게 미안하지 않나? 태자라는 말은 가당치 않다."

륭은 누이란 말에 가슴이 먹먹했다. 가신이나 다름없는 흑치상지와 맺어주려고 온갖 노력을 다했지만 물거품이 되었다. 더구나 당나라로 끌려가고 난 뒤부터는 소식이 절벽이었다. 지수신에게 목을 매고 있는 율이 가상하다 생각하면서도 세상 물정을 몰라 답답했다. 결국 사타상여에게 매달렸다.

"장군은 나의 마음을 알 것이요. 동문을 여시오. 그것만이 나라를 구하는 길이니… "

"저하의 마음을 왜 모르겠습니까? 잠시 말미를 주십시오."

각종은 자신의 귀를 의심했다.

"말미라는 뜻은 무엇이요. 장군도 오랑캐의 사냥개인 태자와 한 패란 말이요? 어디 한 번 들어나 봅시다."

각종의 송곳 같은 질타에 사타상여는 말문이 막혔다. 각종이 나타나기 전 만해도 동문을 열어주려고 했는데 지수신이 각종을 동문 성곽에 배치하고 가버렸다. 각종이 반역자라도 된 듯 감시했다.

"내 말에 트집을 잡으니 말하겠소. 이 전쟁이 승산이 있다고 보시오? 군왕이란 자가 고구려로 도망쳐 버렸는데 우리가 무엇을 선택해야 할지 고민해보시오. 더구나 지수신의 고집으로 백성들은 당군의 어육이 되는 것은 시간문제요. 나는 반역자가 된다 해도 동문을 열겠소."

"동문을 열겠다고? 이 중놈이 있는 한 어림없다, 사타상여."

"스님이라 상황 파악을 못 하신가 본데 물러서시오."

각종이 코웃음을 치면서 승병들에게 명령했다.

"양의 탈을 쓴 승냥이가 탈을 벗었다. 동문을 사수하라."

승병들이 동문으로 달려갔다. 사타상여도 동문을 지키고 있는 병사에게 큰소리로 외쳤다.

"동문으로 몰려오는 승병을 모두 죽여라. 이것만이 그대들의 목숨을 보전하는 길이다."

"우리 편인 승병을? 장군님."

동문을 지키고 있던 병사들이 멈칫했다. 하나 멈칫도 잠시 병사들이 살아남겠다는 일념 하에 승병들과 적이 되어 싸우기 시작했다. 각종이 허리에 찬 검을 빼 들었다.

"이놈 사타상여야, 네놈이 마지막 남은 백제의 숨통을 끊는구나."

"중놈이 검을 들다니 죽으려고 환장했구나. 어서 오너라."

동문 성곽에서 사타상여와 각종의 검이 섬광을 번쩍이면서 부딪치자 어둡던 륭의 얼굴색이 밝아졌다.

"사타상여가 결행했다. 맹공을 퍼부어 동문을 열어라. 승리가 눈앞에 와있다."

"와와…. 동문을 부숴라."

잠시 주춤했던 당군이 벌떼처럼 동문 성곽에 달라붙었다. 같은 편인 승병과 병사들이 서로 싸우는 웃지 못 할 촌극을 하고 있으니, 당군을 막는 것은 기적을 바라는 것과 같았다. 사타상여가 각종의 검을 막으면서 명령했다.

"동문을 열고 저하를 영접하라. 그분만이 멸망한 백제를 다시 일으킬 것이다."

"태자가 들어오면 안 된다. 동문을 열지 못하게 막아라, 승병들아."

각종이 혼신의 힘을 다해 검을 휘둘렀지만 무장인 사타상여를 당하기에는 역부족이었다. 사타상여의 검이 각종의 검을 손쉽게 제압했다. 각종이 성곽을 잡고 비틀거리자 사타상여가 말했다.

"각종 스님, 나를 원망하지 마십시오."

사타상여의 검이 각종의 목을 내리치자 검붉은 피가 솟아올랐다. 각종이 염불을 하면서 쓰러졌다.

"백제의 명운이 이렇게 끝이 나는구나. 나무아미타불 관세음…."

사타상여가 승병들에게 명령했다.

"각종이 죽었다. 모두 검을 버려라."

각종의 죽음에 승병들의 전열이 흐트러졌다. 하나둘씩 도망치거나 피를 토하고 쓰러졌다. 승기를 잡은 당군이 동문으로 들이닥쳤다. 마지막까지 버티고 있던 동문이 어이없이 열렸다. 사타상여가 륭을 영접했다.

"저하, 공주님이 계신 곳으로 모시겠습니다."

"빨리 갑시다. 내가 공주를 설득하겠소."

사타상여가 당군의 선봉으로 돌변했다. 부상병을 돌보고 있던 선은 사타상여의 돌변에 당황했다.

"부처님, 오라버니와 공주님을 지켜주셔요."

선의 목소리가 당군의 칼바람에 묻혀버렸다. 백제의 숨통이 끊어진 것처럼 임존성에 피바람이 거세게 불었다. 동문에서 화염이 치솟았다. 지수신이 피눈물을 흘리면서 말했다.

"공주님, 사타상여가 당군에 합세했습니다. 저하의 곁으로 가시오."

"당신 곁을 떠나지 않겠어요. 이것이 저의 답입니다."

율이 활시위를 놓자 화살이 굉음을 내면서 흑치상지에게 날아갔다. 흑치상지가 흠칫 놀라 물러섰지만 하늘은 흑치상지의 손을 들어주었다. 동문의 불길이 임존성의 성곽을 타고 봉수산을 덮었다. 당군이 총공격을 감행했다. 철벽같은 육중한 성문을 당차로 두드리고 성곽을 기어올랐다. 지수신이 절박한 심정으로 명령을 내렸다.

"형제들아, 임존성이 함락되면 우리는 갈 곳이 없다. 나라를 배반한 역적을 죽여라."

"흑치상지를 죽이자…. 와와."

병사들의 항전에도 전황은 돌이킬 수 없을 정도로 심하게 기울었다. 흑치상지가 회심의 미소를 지었다.

"지수신의 옆에서 싸우는 계집이 공주다. 생포하면 천금의 상금을 주겠다. 인정사정 보지 말고 밀어붙여라."

"나라를 배신한 놈이 나를…, 어림없는 수작 마라."

율은 당군과 일진일퇴를 거듭하면서 지수신의 옆으로 다가갔다. 지수신도 율을 생포하려는 당군을 온몸으로 막았다. 기회를 포착한 륭이 항복을 권했다.

"율아, 검을 버리고 항복해라. 그것만이 나라가 사는 길이다. 오라비의 말을 명심해라."

"부왕의 유조를 헌신짝처럼 던져버리고 오랑캐의 개가 되어서 나타난 오라버니를 어떻게 믿겠소. 저는 남편과 같이 죽겠으니 그리 아십시오."

"오라비의 고심을 알아 달라. 두말 말고 항복하라."

"역적의 고심을 알아 무엇 하겠소. 더 이상 설득하지 말고 죽이시오."

륭의 시선이 지수신에게 옮겨갔다.

"네놈 때문에 누이가 혈육도 몰라보는구나. 네놈을 용서하지 않겠다."

"저하가 그런 말을 할 자격이 있나 모르겠소, 하하하."

지수신이 비웃었다. 당군에게 밀리고 있던 율도 일어섰다. 지수신과 율의 검에 당군이 피를 토하고 쓰러지자 흑치상지의 속이 검게 타들어갔다.

"지수신은 죽여도 좋지만 공주를 죽이지 마라, 생포해라."

"누가 역적에게 생포된단 말이냐? 반역자 흑치상지야."

흑치상지는 당혹했다. 자신이 지수신 못지않다고 자부했는데, 율이 죽음의 순간에도 지수신만 바라보니 분통이 터졌다.

"저하, 공주님이 마음을 돌리지 않으니 죽일 수밖에 없습니다."

"내가 설득해 볼 테니 잠시 기다리시오. 흑치상지장군."

흑치상지가 대답 대신 고개를 끄덕였다, 륭이 마지막 통첩을 했다.

"왕실 가족으로 돌아온다면 용서해주겠다. 율과 지수신은 투항해라. 혈육으로서 마지막 기회를 준다."

지수신은 율을 바라보았다. 율의 눈에 결기가 서렸다.

"당신과 죽을 고비를 수없이 넘겼는데 왜 그리 믿지 못하십니까? 제 마음을 시험하지 마십시오."

"공주님 아니 부인, 내 어찌 부인의 심정을 모르겠소? 정말 미안하오."

지수신의 비감한 어조에 륭은 단념했다.

"투항을 거부하는 자는 모두 죽여라, 병사들아."

지수신과 율의 생사는 바람 앞에 촛불 신세로 변했다. 지수신이 포위망을 좁혀오는 당군에게 큰소리로 외쳤다.

"어서 덤벼라, 오랑캐들아."

"와와…."

"으윽."

지수신의 검에 당군이 피를 토하면서 쓰러졌다. 율도 사람의 형상을 넘어 온몸이 핏빛으로 물들자 나뭇가지도 울고 성곽도 울었다. 당군의 칼부림에 산속의 짐승들이 도망쳤지만 이것이 끝이 아니었다. 백성들의 분노에 찬 목소리가 임존성의 성곽을 울렸다.

"반역자 흑치상지를 죽이고 지수신과 공주를 구하자. 와와."

흑치상지는 백성들의 외침에 정신이 번쩍 났다.

"저하, 큰일 났습니다. 지수신과 공주를 구하려고 백성들이 몰려오고 있습니다."

륭이 무리를 지어 몰려오는 백성들을 바라보니 선두에 선 젊은 여인이 아들 문사가 연모하는 선이었다.

"이게 무슨 해괴한 짓이요. 물러가오. 그렇지 않으면 백성들 모두 죽음을 면치 못할 것이니…."

"저하, 지수신과 공주는 망해버린 나라를 다시 일으킨 분입니다. 반역자는 흑치상지입니다."

바람만 불어도 날아갈 것 같았던 수줍고 여린 선이 돌변했다. 당차게 륭을 압도했다. 지수신이 호통을 쳤다.

"사매, 지금 당장 성 밖으로 피하라."

"오라버니는 그런 말을 할 자격이 없어요. 지금 공주님의 뱃속에 오라버니의 생명이 자라고 있어요. 어서 공주님을 모시고 피하셔요."

선의 질타에 지수신의 온몸이 얼음장처럼 얼어붙었다.

"사매의 말이 맞습니까, 공주님?"

"전장에 임하는 당신에게 누를 끼치지 않기 위해 말하지 않았어요. 용서하십시오."

"적과 마주친 이 순간에 알다니…. 으흐흐."

율이 눈물을 흘리는 지수신을 위로했다.

"먼저 아신들 무슨 방법이 있겠습니까? 뱃속의 아기도 아버지와 같이 죽는다는 것을 알면 기뻐할 것입니다."

율이 한 치도 물러서지 않자 선은 마음이 급해졌다.

"오라버니, 우리가 퇴로를 열겠어요. 공주님과 탈출하셔요."

지수신이 호통을 쳤다.

"사매, 공주님을 모시고 임존성을 빠져나가라. 나는 임존성과 생사를 같이 하겠다."

"공주님, 오라버니를 말려주셔요. 지금 탈출하지 않으면 모든 것이 허사가 됩니다. 빨리요."

"나도 남편을 따라 임존성에서 죽겠어. 동생이나 피해."

지수신이 피토하는 심정으로 호소했다.

"공주님, 내가 아비로서 해줄 수 있는 것이 어미를 살리는 길이요. 제발 선을 데리고 북문으로 가시오. 그곳에는 아직 우리 병사가 버티고 있소."

지수신은 한 번도 율의 마음을 헤아리지 못했다. 그녀를 바라보는 것조차 미안했다. 더 이상 지체할 시간이 없었다. 한 줌의 거름이 되듯이 흑치상지를 향해 검을 들었다.

"흑치상지 이놈아, 네놈의 숨통을 끊어주마."

"내 숨통보다 네놈의 숨통을 조심해라."

지수신과 흑치상지의 검에서 시뻘건 불꽃이 튀었다. 지수신의 생사를 건 공격에 흑치상지가 조금씩 뒤로 밀려갔다. 흑치상지의 위기를 직감한 사타상여가 창을 들었다.

"성주님이 발버둥 친다고 임존성의 함락은 돌이킬 수 없소. 검을 버리고 항복하시오."

"사타상여, 그대의 인품을 존경했는데 하늘이 부끄럽지 않소? 항복이라니 어림없소."

"성주님의 뜻이 그렇다면 내 원망은 하지 마시오."

사타상여가 전광석화처럼 창을 던졌으나 지수신은 의연했다. 지수신의 검이 좌우로 날면서 사타상여의 창과 흑치상지의 검을 막으니 율은 억장이 무너졌다.

무심코 피 묻은 손으로 아랫배를 만져보았다. 하지만 아버지의 생사를 건 사투를 모르는지 새 생명의 박동이 평화롭게 뛰었다. 그제야 율은 자신이 할 일이 무엇인지 깨달았다. 뱃속의 새 생명이 지수신이었다. 선의 손을 잡고 북문으로 달렸다. 율이 북문으로 사라지자 흑치상지의 얼굴에 살기가 돌았다.

"죽기 전에 마지막 이별이나 실컷 해라."

지수신의 목을 검으로 내리쳤다. 사타상여도 지수신의 배를 창으로 찌르니 지수신은 흑치상지의 검과 사타상여의 창을 두 손으로 움켜잡고 북문을 보고 외쳤다.

"잘 가시오, 부인."

"아직도 입이 살았구나. 죽어라."

흑치상지가 괴성을 지르면서 지수신의 목을 다시 한번 내리쳤다. 지수신의 목에서 검붉은 피가 솟구쳐 나왔다. 지수신이 쓰러지자 흑치상지는 율이 사라진 북문으로 방향을 틀었다. 조금 전까지 율을 죽이라던 륭이 돌변했다.

"율을 쫓지 마라, 흑치상지."

"저하, 공주님의 뱃속에 지수신의 씨가 자라고 있습니다. 놓아주면 두고두고 후회할 것입니다. 잡아 죽여야 합니다."

"지수신을 죽인 것으로 만족해라. 율까지는 용납하지 않겠다."

륭은 도망치는 율의 뒷모습에서 풍의 모습을 보았다. 부왕과 모후의 모습도 떠올랐다. 더는 부왕과 모후에게 죄를 짓고 싶지 않았다. 사타상여도 말렸다.

"지수신을 죽인 것으로 형님의 목표가 달성되었소. 추하게 더 이상 나가지 마십시오. 유인궤가 뒤에서 지켜보고 있소."

유인궤란 말에 흑치상지는 정신이 번쩍 들었다. 자신을 계집에 눈먼 위인으로 무시했다. 한발 더 나가면 사실로 굳어질 것 같았다.

"저하의 말씀대로 공주님을 쫓지 않겠습니다."

"고맙다, 흑치상지…."

륭은 까맣게 타들어 갔던 마음을 내려놓았다. 그리고 조심스럽게 성안을 살펴보았다. 당군과 맞섰던 백성들과 병사들의 시체가 산처럼 쌓였다. 율이 떠난 그 자리에 말라비틀어진 낙엽만 을씨년스럽게 나뒹굴어 다니었다. 지옥이 따로 없고 임존성이 지옥이었다. 륭이 인기척소리에 뒤돌아보니 유인궤였다.

"내가 원했던 대로 공주가 미끼 역할을 톡톡히 했소."

"공주가 미끼라니 무슨 말씀이십니까?"

"태자 아니 그렇소? 저 넋 놓고 북문을 바라보고 있는 흑치상지의 모습을 보시오, 흐흐흐."

유인궤는 지난날을 회상했다. 그동안 흑치상지를 독 오른 독사로 만들기 위해 얼마나 노력했던가? 구르레포구에서 가림성을 넘겨받을 때까지 어느 한 순간도 쉽지 않았으나, 미끼를 덥석 물고 소정방도 포기한 임존성을 함락시켰다. 늙은 유인궤가 영달의 꿈이 이루어진 것처럼 음흉한 목소리로 껄껄거리었다.

(끝).

• 참고문헌

『三國史記』 김부식 저, 최호 역, 홍신문화사, 2010.

『三國遺事』 일연 저, 김길형 역, 아이탬북스, 2008.

『조선상고사』 신채호 저, 박기봉 역, 비봉출판사, 2011.

『삼국통일전쟁사』 노태돈 저, 서울대학출판부, 2009.

『백제 부흥운동 연구』 김영관 저, 서경출판사, 2005.

『안녕, 계백』 역사편찬위원회 저, 역사디딤돌, 2009.

『의자왕과 백제 부흥운동 엿보기』 양종국 저, 서경문화사, 2008.

『백촌강 전투』 이성범 저, 제이앤시. 2002.

『백제 사비성시대 연구』 이도학 저, 일지사, 2010.

『진시황평전』 장펀탠 저, 이재훈역, 금항아리, 2011.

『당태종 평전』 자오커야오, 쉬다오쉰 저, 김정희역, 민음사, 2011.

『제자백가』 이명주 편주, 큰방, 2009.

『신(新)중국사』 강영수 저, 좋은글, 2001.

『사기열전』 사마천 저, 이상옥 역, 명문당, 2009.

『사기열전』 사마천 저, 박성연 역, 아이템북스, 2013.

『당평제비』 한국고대금석문, 한국금석문종합영상정보시스템, 1992.

『의자왕을 고백한다』 이희진 저, 도서출판가람기획, 2011.

〈1300년 만에 밝혀진 의자왕의 항복비밀〉 KBS역사추적, 2008.

백제부흥운동의 대서사

백제 지수신(하)

1판1쇄 인쇄일 2020년 7월20일
1판1쇄 발행일 2020년 7월30일

ISBN 978-89-94803-66-1 04810(세트)
ISBN 978-89-94803-68-5 04810(하)

지은이 류정식
펴낸이 류희남
디자인 디자인오감

펴낸곳 물병자리H
출판등록 1997년 4월14일(제2-2160호)
주소 서울시 종로구 새문안로5가길11, 옥빌딩 801호
전화 02-735-8160
팩스 02-735-8161
홈페이지 www.aquariuspub.com
이메일 aquari5@naver.com

물병자리H(Humanity & History)는 물병자리 출판사의 인문, 역사, 문학 분야 브랜드입니다.

이 도서의 국립중앙도서관 출판예정도서목록(CIP)은 서지정보유통지원시스템 홈페이지(http://seoji.nl.go.kr)와 국가자료종합목록 구축시스템(http://kolis-net.nl.go.kr)에서 이용하실 수 있습니다.
(CIP제어번호 : CIP2020028829)